Monsieur-Chef m'a d... ... ...
dedans, d'ici quelques ... ...,
... fait en début d'année pour le
travaillant au rythme de deux pages
de mon "Lutèce" d'ici le jugement.
... net et passera au défenseur local.
... qu'il vienne en personne - après tout, il
... ou de 8 mai déjà?? Sacré g... , c'est,
auquel j'aie personnellement en
c'est ton lot, aussi heureux, du reste.
... aussi, lundi, une petite double-feuille
... pas contente, parce qu'il a vu des
... understoodé des élégances ...!! Pauvre
... té, que veux-tu. M'eniverai bien à
... pas le bas-bleu dont on parle, je
... à la plume. Sagesse, sagesse. Hervé
... ; je ne sais si le perçage est une fin
... traite des gambilles. Je veux encore gamba-
... ... Rien ne m'importe

vol.
♡
romans - 314

L'Astragale

Albertine Sarrazin

Albertine Sarrazin
L'Astragale

le club français du livre

1968

Chapitre premier

Le ciel s'était éloigné d'au moins dix mètres.

Je restais assise, pas pressée. Le choc avait dû casser les pierres, ma main droite tâtonnait sur des éboulis. A mesure que je respirais, le silence atténuait l'explosion d'étoiles dont les retombées crépitaient encore dans ma tête. Les arêtes blanches des pierres éclairaient faiblement l'obscurité : ma main quitta le sol, passa sur mon bras gauche, remonta jusqu'à l'épaule, descendit à travers côtes jusqu'au bassin : rien. J'étais intacte, je pouvais continuer.

Je me mis debout. Le nez brusquement projeté contre les ronces, étalée en croix, je me rappelai que j'avais omis de vérifier aussi mes jambes. Trouant la nuit, des voix sages et connues chantonnaient :

— Attention, Anne, tu finiras par te casser une patte!

Je me remis en position assise et recommençai à m'explorer. Cette fois, je rencontrai, au niveau de la cheville, une grosseur étrange, qui enflait et pulsait sous mes doigts...

Lorsque je vais à la consultation, toubib, pour essayer de me faire porter pâle, que je vous décris des maux imaginaires dans des endroits que je pense inaccessibles; lorsque je dois vous monter des tisanes au lit, petites sœurs, sur mes pieds de marcheuse modèle, moi qui envie vos indigestions... Fini, tout cela : maintenant, vous allez me soigner, vous ou d'autres, j'ai la patte cassée.

Je levai les yeux, vers le haut du mur où ce monde restait, endormi : j'ai volé, mes chéries! J'ai volé, plané et tournoyé pendant une seconde qui était longue et bonne, un siècle. Et je suis là, assise, délivrée de là-haut, délivrée de vous.

Cet après-midi encore, j'étais bourrée d'Atropine et je m'étais injecté de la benzine dans les cuisses. Rolande libérée, je n'avais aucune envie d'attendre qu'elle revienne me chercher : je manœuvrais pour me faire envoyer à l'hôpital, où la cueillette serait plus facile et les jours plus vite pulvérisés.

— Mais vous êtes verte! me dit l'éducatrice, à la veillée.

2

— J'ai dû me frotter au mur, dis-je, sentant mes joues virer au cadavérique, et me désarticulant comme pour tâcher d'apercevoir le dos de ma blouse. On était justement en train de repeindre les murs de la salle à manger, un mur jaune, un mur bleu, deux murs verts, et les appuis de fenêtre en orange pour inventer le soleil.

— Non, vous êtes verte, VOUS! Votre figure! Ça ne va pas?

Mais je n'ai pas eu le temps de savourer mon premier tilleul; la pente douce de l'autre côté des remparts, après la porte, je ne la descendrai pas. J'ai préféré sauter. Je suis en bas quand même, pas très loin de la route, il faut que j'aille jusque-là; ils ne vont pas me ramasser à deux pas du mur, non?

L'endroit et le soir où je retrouverai Rolande sont loin encore : je dois d'abord trimballer jusqu'à la route cette bosse qui m'empêche de marcher... deux fois, trois fois, j'essaie de poser le talon : la foudre s'éveille, me traverse la jambe.

Puisque les pieds sont inutiles, je vais marcher sur les coudes et les genoux. Je rampe vingt mètres, je me heurte aux broussailles, je reviens aux pierres, essayant de m'orienter.

Un autre siècle a dû couler, je ne retrouve rien.

Ma cheville est scellée, pied et jambe à angle droit; je la coltine comme un poids, à la verticale, elle bascule dans la pierraille et la griffe des buissons. La nuit est opaque. Là-haut, tous ces derniers mois, je regardais les fourrés si proches de la grand'route et j'étais certaine de pouvoir m'y retrouver les yeux fermés : mes projets ne passaient pas encore par là, mais cependant une tentation constante de sauter et de m'enfuir faisait machinalement son chemin. Et, tout en souriant au troupeau des filles massées frileusement autour de l'éducatrice, tout en serrant, dans ma poche où elle se glissait, la main de Rolande, je volais au bas des pierres et je me relevais, hou-hou, narquoise et purifiée...

Et nous regagnions les lumières, en traînant les pieds. Je laissais la main de mon amie dans ma poche et je fouillais dans la sienne, pour découvrir à travers l'étoffe le une-deux de l'articulation, Rolande, je sens ton os qui marche... Et nous pouffions sous le manteau, et le pavillon avec son éclairage confisquait les rêves jusqu'au lendemain.

Je rampe. Mes coudes deviennent terreux, je saigne de la boue, les épines me percent au hasard des buissons, j'ai mal mais il faut continuer à avancer, au moins jusqu'à cette lumière, là-bas, une maison qui me promet la route... entre la lumière et moi, il y a un grillage, contre lequel je tombe : je suis bien, là, couchée sur le dos, les yeux fermés, les bras lâches... Ils me ramasseront endormie, tant pis. Je paierai ce repos par des soumissions, des douleurs nouvelles, j'allais vers la terre, j'y reste. Peut-être le mur va-t-il suivre ma chute et m'y enfouir.

4

Je suis debout, sur la plante des rotules, je contourne le grillage. Un genou, un coude, un genou, un coude... ça va, je m'habitue. Je rêve que je recommence, que je prends mon temps : au lieu de foncer comme une dingue, de commencer à descendre le mur en m'agrippant aux pierres et d'ouvrir les mains dès que mon pied rencontre le vide, je cherche pour mon atterrissage un coin tendre, là où l'herbe pousse épaisse et élastique...

Je dépasse la villa, dont la lampe brille toujours; j'avance tout contre le mur, dans l'herbe du chemin, coude, genou, coude... voilà la route, luisante, scindée par la bande jaune. Une tente de métal est posée sur le trottoir, publicité pour une marque d'essence : je m'y accroche, le panneau cliquette, je vais commencer mon stop ici... Non, Paris est dans la direction opposée, traversons. Le premier pas est en fer rouge, le deuxième en gélatine, je m'affale en travers de la bande jaune, le premier écraseur est pour moi... Le voilà, c'est un camion : il va dans mon sens et rapportera à Paris, collés à ses roues, des lambeaux de moi. Je le regarde, dans ses gros yeux jaunes. Il vient sur moi.

A quelques mètres, le camion bifurque, monte sur l'accotement et stoppe. J'entends souffler les freins, puis la portière claque et des pas s'approchent. Je reste écrasée, les yeux clos.

— Mademoiselle!...

Des doigts me touchent, cherchent, hésitants, inquiets.

Je dis :

— Si vous voulez, sortez-moi de la route... Tenez-moi,
je crois que j'ai une jambe cassée.

Le routier me soutient jusqu'au marchepied du camion. Je
m'y assois, la cheville ramenée dans l'ombre. Je ne veux
pas regarder. Un réverbère, tout près, éclaire mon pied
droit : il est terreux, la boue sèche autour des ongles
noirs et monte en gros bracelets jusqu'à mon genou, striée
de déchirures où le sang perle doucement. Je me serre dans
mon manteau, les poings dans les poches : je n'ai rien
d'autre sur le corps et je commence à avoir froid, froid
jusqu'au cœur.

— Vous voulez me donner une cigarette ?

Le gars sort ses Gauloises et me donne du feu. Dans l'allumette, je vois son visage, le visage qu'ont les routiers la
nuit : la peau brillante, le poil qui commence à pousser,
et cette expression fripée et fixe.

— Qu'est-ce qui vous est arrivé ?

— Je... oh et puis, au point où j'en suis, je ne risque
rien. Vous connaissez le coin ?

— Je fais le parcours trois fois par semaine, oui.

Je désigne la traverse, où le phare de la villa est le
seul repère dans une boue confuse d'arbres et de murailles.

— Alors, vous savez peut-être ce qu'il y a là-bas...

— Euh... Oui. Et c'est de là ?...

— Oui, à l'instant. Enfin, il y a une demi-heure, une
heure... On ne doit pas me chercher encore. Oh, je vous en

prie, emmenez-moi à Paris. Vous n'aurez pas d'ennuis, ma parole. A Paris, vous me déposez et je me débrouille.

L'homme réfléchit, longuement, puis :

— Je vous dépannerais bien, mais... vous comprenez, il y a votre jambe.

— Mais même... Jusqu'à Paris, Monsieur, je ne vous en demande pas plus. Je ne parlerai jamais de vous, quoi qu'il arrive. Croyez-moi.

— Je vous crois. Mais vous n'empêcherez rien, « ils » ont des moyens que nous n'avons pas. J'ai une femme et des gosses, je ne peux pas.

J'enserre ma cheville à dix doigts et je m'arc-boute contre la cabine pour essayer de me lever :

— Bon, alors, laissez-moi. Seulement, je vous demande : ne « les » prévenez pas au prochain bled. Oubliez cette rencontre, soyez...

J'allais dire « Soyez bon », mais soudain je réalise le ridicule des mots, le goût de cette cigarette qui s'achève, et les dix minutes que l'homme m'a données.

— Tenez, dit-il, je peux quand même faire un truc, c'est de vous stopper une voiture : un particulier vous prendrait peut-être... je raconterai un boniment...

Qu'il fasse ce qu'il veut. Moi, je ne voudrais que m'amputer de cette jambe et dormir, dormir jusqu'à ce qu'elle repousse et m'éveiller en riant de mon rêve. Récemment, Cine m'écrivait : « Ma chérie, j'ai fait un cauchemar : tu étais tombée, très mal, de très haut, tes oreilles saignaient et moi je ne pouvais rien, rien que pleurer... Au réveil, j'ai pris ta photo et j'ai soupiré de joie, parce que ce n'était pas vrai, et que j'allais te voir, comme chaque matin, avec ton air de sou neuf, filant vers les cuisines avec ta grande casserole à lait... »

Ce que nous avons ri, en lisant cela, avec Rolande! Cine, l'amie de l'an passé, qui en était encore à projeter de tout plaquer pour moi, alors que déjà je l'aurais oubliée, sans l'incessant tison de ces billets compacts et pliés menu qu'une fille neutre et complaisante m'apportait presque chaque jour... Cine! J'étais lasse de ses certitudes, de ses abandons possessifs, de la trace qu'elle croyait avoir laissée sur moi, de son maternalisme, ma grande, mon tout-petit.

J'avais connu Cine dans un train. Des hommes et des femmes se partageaient le compartiment, en deux blocs bien groupés; les hommes chantaient, les femmes se taisaient ou pleuraient. Je m'étais ramassée contre la vitre, regardant partir Paris dont les contours se brouillaient sous le triple écran de la vitre sale, de la pluie et de mes larmes.

— Faut pas pleurer!...

Je remontai le moins bruyamment possible le contenu de mon nez, je passai les doigts sous mes yeux, et je me tournai vers la voix. Une femme d'une trentaine d'années, aux yeux d'olive noire et en chignon brun, était assise à côté de moi, et son sourire était aussi agréable que sa voix. Mes larmes tarirent et je la regardai plus nettement, depuis l'écharpe douce jusqu'aux pieds emballés dans des pantoufles. Je me penchai un peu et j'aperçus sous la banquette des escarpins noirs à talons modérés : une raffinée... Je lui demandai :

— Longtemps?...

— Longtemps... fait, ou à faire?

— A faire : le reste, ça ne me regarde pas!

— Oh pourquoi? Ce n'est pas un secret : en tout, sept ans.

— Tiens, comme moi... M'en reste cinq, et vous?

— On ne sait jamais ce qui vous reste : il y a les grâces, la conditionnelle...

— Bah, dis-je, tout ça, c'est du char. Je pleure, oui, parce que je suis bien persuadée de quitter Paris pour cinq ans. Voyez, c'est déjà fini, d'ailleurs. Ces hommes qui n'arrêtent pas de chanter, aussi! Heureusement qu'ils descendent en cours de route.

Nous échangeâmes nos prénoms, nos âges.

— Mineure! Mais comment... dit Francine.

— Pardon, majeure! Majeure pénale, majeure mentale, majeure tout à fait. La preuve, c'est que j'ai attendu deux ans, comme une grande, qu'on veuille bien m'en coller cinq de mieux. Je suis jeune, mais là où on va tout le monde est jeune. Je crois que les prisons-écoles sont réservées aux moins de trente, trente-cinq ans.

Dans la matinée, le paysage changea, se pela, s'estompa : nous « montions » vers le nord. Vers midi, le train s'arrêta, enfin : j'avais hâte de quitter mes chaussures. Je n'avais pas pensé, moi, à sortir mes pantoufles, et, depuis le temps que je traînais les sandalettes pénales, j'avais perdu l'habitude des talons hauts.

— Attachez vos sandalettes!

J'avais entendu cela pendant deux ans, en même temps que « Otez-moi ce noir à vos yeux » et « Filez mettre votre combinaison, nue sous un chandail, non mais, c'est propre, je vous assure!... » Qu'allait-on me crier maintenant?

— Voulez-vous un coup de main?

On n'ordonnait plus, on proposait, et les propos chantaient au lieu d'aboyer; notre troupeau se rassemblait sur le quai, et des femmes souriantes et séraphiques nous aidaient à porter nos valises, nos paquets mal ficelés, nos filets bourrés de choses disparates et toutes indispensables.

— Essayons de rester l'une à côté de l'autre, voulez-vous? dit Francine.

Par la suite, d'autres signes, d'autres coïncidences, nous rapprochèrent encore : nous fûmes désignées pour le même groupe, et donc visitées par la même éducatrice pendant les trois mois d'isolement réglementaires. Nous bavardions par-dessus les murs des cours de promenade individuelle, ou à l'occasion des corvées, vaisselle, ménage, que nous faisions également ensemble : deux par deux, de même groupe, Cine et moi en alternance avec d'autres.

Après ce trimestre, nous rejoindrions le groupe. Nous parlions de ce jour avec plus de ferveur que de celui de notre libération, trop lointain encore; nous rêvions à une sorte de vita nuova, à l'oubli du passé dans la clarté et la propreté du groupe, empavillonné, amidonné... en somme, de jeunes pensionnaires, des brebis, des chœurs d'anges chantant à l'unisson.

Cine, pourquoi fallut-il qu'à ces projets bienheureux succédât une réalité maudite? Au lieu de me laisser faire tranquillement ma petite chimie, pourquoi as-tu voulu t'en éclabousser? Je faisais des paris, des essais, des croix, parce que je n'avais pas grand'chose pour passer ma jeunesse et mon ennui; tu le savais, nous en riions ensemble, penchées le soir à la fenêtre de nos chambres sans barreaux (il était défendu de dire « nos cellules »), tu me grondais parfois... et puis, toi dont j'aimais l'amitié, tu as voulu m'encombrer de ton amour. Tu as cru que toi, tu pourrais me greffer des sentiments, me coudre un bout de ton cœur...

Enfin, Cine dormait, là-haut, et son rêve prenait corps : quelque chose comme « mes oreilles chéries » saignait à mort, mourait longuement, là, au bord de la route où plus jamais je ne me promènerais, avec toi, Cine, ou Rolande ou une autre, parce que je ne marcherais plus. A la manière dont je m'étais assise sur le marchepied du camion, je ne pouvais imaginer d'autre suite que l'allongement, l'immobilité définitive.

— Il n'y a guère de bagnoles, à cette heure-ci, dit le routier en revenant. Ça va?

11

— Oh, c'est pas pire que tout à l'heure. Partez, allez :
je vous ai déjà bien assez retardé. De toute façon, on ne va
pas tarder à venir me chercher...

Un bruit de moteur surgit du fond de la nuit : le gars
s'élança. Je voyais sa silhouette, découpée par les phares,
faisant de grands gestes. Ce que les voitures vont vite,
maintenant! Il va se faire écrabouiller... Je me reculai
dans l'ombre de la cabine et je fermai les yeux. La voiture s'était arrêtée; une portière claqua, des pas et des
voix s'approchèrent. Le regard filtrant, j'aperçus un homme,
immobile devant le routier qui lui parlait, désignait le
rempart, puis moi... L'homme tournait le dos au réverbère et faisait une ombre précise, tassée, mains enfoncées
dans les poches et col relevé. Bien qu'ils parlassent tout
près de moi, je n'entendais presque rien : un brouillard
épais comme du coton et translucide comme du verre me
séparait d'eux, et je m'y enfonçais de plus en plus, comme
en un sommeil.

— Montrez un peu ce pied? dit la silhouette.

Mon genou engourdi n'en finissait plus de ramener ma
jambe de dessous le marchepied; je l'aidai en tirant à deux
mains sur le mollet. Puis, machinalement, je pris appui
sur le talon pour me lever, et ce que je ressentis alors
fut si atroce, si désespérant, que j'abandonnai et laissai
mon pied retomber dans l'ombre et la boue.

L'homme s'accroupit devant moi et promena le faisceau
d'une lampe de poche; je voyais le blond lisse de ses

12

cheveux, l'ocre rose de son oreille et de sa main. Il se redressa, éteignit la lampe et s'éloigna vers sa voiture avec le routier. Qu'il s'en aille. Ça m'était égal. A nouveau, j'avais cessé d'entendre et de m'intéresser. Ensuite, tout se passa très vite.

Un bras entoura mes épaules, un autre se glissa sous mes genoux, je fus soulevée, emportée; le visage de l'homme de tout à l'heure était tout proche, au-dessus du mien, avançant à travers le ciel et les branches des arbres. Il me portait avec sûreté et douceur, j'avais quitté la boue et je marchais, dans ses bras, entre ciel et terre. L'homme s'engagea dans un chemin de traverse, fit encore quelques mètres, puis me déposa par terre avec précaution : m'habituant à l'obscurité, je distinguai un gros arbre, de l'herbe, des flaques.

— Affranchis personne et surtout ne bouge pas, dit l'homme avant de se relever. Je vais revenir te chercher, attends-moi. Attends-moi tout le temps qu'il faudra.

Et il s'éloigna. Un peu après, j'entendis les moteurs du camion et de la voiture, des lumières glissèrent, puis tout redevint silence, désert, nuit.

Je ne bougeais pas : tout à l'heure, si j'avais moins mal, je me rapprocherais un peu de la route. J'étais trop enfoncée dans cette traverse, l'homme ne pourrait pas me retrouver. Je referais en sens inverse quelques mètres, quelques arbres. J'avais le temps : je savais que la première ville était à quarante kilomètres : quarante plus quarante... Il y avait

13

du monde dans la voiture, j'avais entendu parler, peut-être l'homme voulait-il déposer ses passagers avant de revenir : « Affranchis personne... » Je souriais, la bouche contre les racines de l'arbre; maintenant, j'étais complètement allongée, je trempais dans l'herbe, je me glaçais peu à peu. A l'autre bout de moi, ma cheville menait grand tapage, fondait en rigoles incandescentes à chaque pulsation de mon cœur : j'avais un nouveau cœur dans la jambe, mal rythmé encore, répondant désordonnément à l'autre. Là-haut, les branches noires étaient figées dans la glace du ciel; sur la route, des voitures passaient et s'éloignaient, aucune ne ralentissait, aucune ne tournait vers moi : il fallait bien que l'homme revînt, car je n'avais plus la force d'aller chercher une autre chance, et on ne devait pas me retrouver là, au matin. Pour ma jambe, je ne me faisais aucun souci, elle serait soignée de toute façon. Déjà, la douleur s'était familiarisée, elle se promenait dans mon corps, visitant chaque recoin et l'engourdissant au passage, elle s'étalait et s'aplanissait; seules, par-ci par-là, de petites flammèches surprenantes me faisaient sursauter et m'empêchaient de m'endormir tout à fait. Je triturais dans ma poche le mégot de la Gauloise que le routier m'avait donnée : ce serait peut-être mon seul trophée... Ce n'était pas si mal, au fond : j'avais un clope, un vrai grand clope de Gauloise, et j'étais libre de le jeter ou de l'émietter. J'avais laissé là-haut mon papier à rouler et mes allumettes; Rolande, Rolande, j'ai un beau mégot et je ne peux pas le fumer...

Une allumette traçante. Une étoile filante, un anti-brouillard. Non, c'est la forge de ma cheville qui illumine toute la traverse : les lancées tourbillonnent un moment, puis se rassemblent et s'immobilisent en un rond de lumière miroitante, une grosse torche dont le faisceau passe au ras de ma tête, et se fixe sans m'avoir touchée dans le tronc de l'arbre. Il me semble aussi qu'un bruit de moteur bref et mourant a gonflé la nuit; mais j'ai dû rêver, le froid seul crisse dans mes oreilles. Pourtant, le phare est toujours là, je peux détailler l'écorce de l'arbre, et voici qu'un deuxième s'allume, minuscule et remuant, qui fouille rapidement, tout près du sol. Ça y est, je suis découverte.

Tout s'éteint et quelqu'un s'approche. C'est lui, sûr.

— Je t'avais pourtant dit de ne pas bouger!

Ah, j'ai bougé? C'est possible. Tout redevient possible. Je crois que je ris, que j'entoure le cou de l'homme, que...

— Oui, oui, fait-il, en se dégageant pour chercher dans la poche intérieure de son blouson. Il en sort un flacon plat, un paquet de cigarettes. On a tout le temps, maintenant : nous buvons à tour de rôle, au goulot; à chaque bouffée, l'infime brasier de nos cigarettes tire nos visages de l'obscurité. Vider ce paquet et cette bouteille, et après, qu'importe? J'ai retrouvé toute espérance.

L'homme continue à sortir des choses :

— Tiens, j'ai apporté un pantalon, un pull, il y a aussi une bande Velpeau...

15

C'est vrai, je suis presque à poil. Je retire le manteau, j'enfile le chandail. Mais le pantalon... Comment entrer dans une jambe de pantalon, avec ce pied soufflé qui ne cambre plus, qui éclate en douleur au moindre frôlement? Je remets le manteau et je dis :

— Comment t'appelles-tu?

Maintenant, nous sommes deux prénoms, nous allons quitter ensemble les arbres noirs, et au matin nous apprendrons le reste. Partir d'abord, vite...

— Tu ne veux pas essayer de mettre au moins la bande? Il gèle, tu sais.

— Oh non, n'y touchons pas, par pitié. Je resterai pieds nus, ça ne fait rien.

— Comme tu veux. Je vais te porter sur la moto, tiens-toi à moi. Tu préviens si ça ne va pas. Tu sais aller à moto?

— Oui, j'avais l'habitude, t'en fais pas. Partons, maintenant, va.

Je me recroqueville toute autour de la flamme figée que l'alcool a dessinée en moi, je laisse mon pied pendre à côté de la roue, et je m'ancre, à deux bras, aux épaules de Julien.

Un autre siècle commence.

Chapitre deux

Je n'avais pas tremblé, tout à l'heure, en ouvrant les doigts pour me détacher du mur; toute la nuit, j'avais été inerte et contractée, je n'avais pas eu la place pour ausculter ce qui m'arrivait; et maintenant, sous l'ampoule claire de la cuisine, je découvrais mon mal, en même temps que je réapprenais la chaleur et le repos, et je me laissais grelotter de tous mes os. Calée entre l'évier et le fourneau, j'essayais de maîtriser mes dents qui s'entrechoquaient et toute ma carcasse secouée par une tornade de nerfs qui se communiquait à ma chaise, à la cigarette que je tenais. Je remarquai que j'étais vêtue d'un pyjama d'homme et d'un chandail en jacquard noir : le manteau pénal avait disparu.

On m'avait installée sur une chaise; on en avait glissé une autre, avec un coussin, sous mes jambes; des silhouettes bougeaient devant moi, mon sauveur de la nuit, un autre homme plus grand, une dame âgée, toute menue. Je ne distinguais toujours pas les paroles, mais j'entendais et je sentais les préparatifs d'un café : remuement de la cafetière, goutte-à-goutte du filtre, odeur un peu amère. Mon pied avait cessé de crier, comme un chien qui après avoir longtemps hurlé dans la nuit est admis à entrer dans la maison et s'endort près du feu.

Le grand type palpait ma cheville, l'air toubib soucieux; la vieille dame apportait des bandes, des bouteilles, faisait chauffer de l'eau.

— C'est ma mère, dit Julien.

La mère lavait mon sang, cachait mon pied bien au propre sous un gros pansement. Personne ne s'étonnait ni ne questionnait, leurs gestes étaient naturels et efficaces. J'étais peut-être revenue à la maison, celle de mon enfance, après un obscur et pénible voyage, et cette femme était peut-être ma mère aussi. Toujours portée par Julien, je montais à présent les marches menant au premier, pour regagner mon lit dans la chambre des gosses.

18

— Essaye de dormir un peu, maintenant, dit Julien en m'embrassant légèrement sur la joue.

Je reviendrai ce matin. Et surtout, ne te montre pas à la fenêtre.

— Si je pouvais marcher jusque-là!...

— C'est vrai. Dors, va. On verra plus clair demain.

Il éteignit et tira la porte, ne laissant filtrer qu'un rai de lumière.

Mon lit, tout petit, lit de grand enfant, était au centre de la chambre; à droite et à gauche, contre les murs, j'en devinai deux autres, lits de petits ceux-là, le matelas au sol et cernés de barreaux. On y bougeait : petits gargouillis, petits cris heureux ou effrayés, révolutions soudaines de couvertures, puis retour au souffle profond, un peu nasal, des enfants qui dorment. Nous étions trois gosses, et mon pied était au bout de moi comme une grosse poupée compacte. Centimètre par centimètre, je l'avais amené jusqu'au fond du lit, et ma jambe droite, repliée, lui faisait une tente qui l'isolait du contact pesant du drap. J'étais posée dans un rectangle, avec, rattaché à moi, un poids inconnu qui m'empêchait d'en sortir; un poids d'une inertie et d'une raideur extraordinaires, un membre rebelle et sourd, un morceau de bois vivant sans souci de moi et des efforts de ma tête et de mes muscles pour le faire obéir.

A l'aube, une jeune femme entra dans la pièce; elle portait par-dessus sa chemise de nuit un peignoir rouge.

Elle souriait, vague, en ouvrant les rideaux. Elle non plus n'avait l'air aucunement surpris de me voir là. Elle secoua doucement les petits paquets dans les lits, en chantonnant : « Allons, il faut se réveiller, maintenant... », et j'avais envie d'être réveillée aussi, de descendre vers les tartines et le cartable avec ces deux jolis gosses, auxquels le peignoir rouge faisait dire : « Bonjour Mademoiselle... »

Mais, gênée à la fois par ma position insolite — tombée dans mon pyjama immense au milieu de leur nuit —, et par mon manque d'habitude des enfants, je souriais tant que je pouvais, disant bonjour comme à des adultes, Mademoiselle qui pouvait avoir sept ans et Monsieur qui en avait bien cinq, bonjour. Moi qui n'avais eu de l'enfance que la cruauté, que faisais-je donc là, dans cette nursery amusante, avec ses jouets et ses livres en désordre par terre, sa tapisserie bleue et sa grande fenêtre encadrant un matin de printemps gris ?

Plusieurs jours coulèrent ainsi. Le matin, après le départ des enfants pour l'école, Ginette montait, ou la Mère, avec le petit déjeuner et de l'eau chaude pour ma toilette ; mon existence se reconstituait, élémentaire : j'avais maintenant mon peigne, ma brosse à dents, des chemises de nuit et du linge prêtés par Ginette ; Eddie, le grand type, le mari de Ginette, avait descendu du grenier un vieil appareil de radio qu'il avait branché près de mon lit : je l'écoutais toute la journée jusqu'au

20

coucher des gosses, et la nuit je retournais ma jambe dans le rectangle, assommée d'insomnie, espérant l'aube.

Je faisais sans trop de mal la toilette du torse; mais, pour le reste, je devais apprendre une nouvelle façon de me mouvoir, calculer et inventer chaque geste : viser la cuvette posée par terre, m'y adapter sans poser le pied gauche, accroupie avec ma jambe tenue en l'air d'une main — il fallait la porter, car elle était absolument inerte à partir du genou — manœuvrer pour remonter dans le lit, vider l'eau dans le seau... La plupart du temps, je laissais le pied au fond des draps, et je remuais en prenant pour départ des gestes le genou, roulant d'un côté et de l'autre, rampant sur place, appuyée sur les épaules.

Pourtant, je faisais chaque matin l'examen de la situation, en essayant de marcher. Assise au bord du lit, je posais le pied, je me mettais debout; progressivement, j'équilibrais mon poids, je pesais également sur les deux jambes : après quelques zébrures, la douleur se rangeait en une grosse boule immobile, s'atténuait. J'actionnais alors le pied droit, en le déroulant, je le décollais du sol, attentive, lente... Mais j'étais toujours gagnée de vitesse, mon genou s'enfuyait, fléchissait, j'étais projetée en arrière sur le lit ou en avant sur le carreau. Découragée jusqu'au lendemain, je reprenais la jambe et la replaçais à l'horizontale.

J'ôtais aussi la bande, pour voir : les premiers jours,

mollet et cheville semblaient avoir joué aux deux coins, le pied était la base d'un cône et l'enflure avait éclipsé le mollet. Injecté en plaques bleues, violettes, vertes, le sang stagnait sous la peau, et les griffures des ronces mettaient par là-dessus un lacis de croûtes noires; de temps en temps, je découvrais une écharde que j'extirpais entre deux ongles. Puis, l'enflure diminua : le bois devint marbre dur et froid, le sang ne bougea plus.

Le jour, les petits romans d'amour apportés par Ginette, les ritournelles faciles de la radio, les bouteilles qu'Eddie me montait à moitié pleines en m'invitant à les finir, empêchaient la bête de montrer les dents; et puis, ils venaient me voir, s'asseyaient avec précaution au bord du rectangle, et leur présence, leurs paroles, dissipaient les heures. Ginette passait l'aspirateur, remuait les lits en fredonnant, répondait aux questions que je formais par politesse, laborieusement, car une gêne permanente restait en moi : j'avais l'impression que toutes mes paroles, et mon silence même, laissaient transparaître ce dont je n'avais pas honte, non, mais que je ne pouvais tout de même pas claironner. J'avais appris à aimer les filles, à les jauger, je venais de côtoyer des mères cantonnées derrière leurs gosses pour tenter de cacher leurs amours extra-maternelles et leurs crimes; les femmes que j'avais laissées en haut du mur m'avaient écartée de la simplicité, de la camaraderie, même superficielle, et le décalage entre elles et Ginette me stupéfiait et me barrait la gorge.

22

A Julien, par contre, j'avais tout raconté : le passé, l'avenir dont j'étais certaine, marcher, marcher et ensuite retrouver Rolande. Il était revenu deux nuits après le sauvetage : reconnaissant sa voix, au rez-de-chaussée, j'étais surprise, dépitée même, qu'il ne montât pas me voir tout de suite...

— Ma mère est d'accord, avait-il précisé en revenant me chercher, la nuit des arbres noirs. Et :

— Tu feras gaffe, que ma mère n'ait pas d'ennuis.

Il venait voir sa mère, et moi je m'impatientais...

Plus tard, bien après qu'Eddie et Ginette furent montés se coucher, Julien poussa la porte; il se déplaçait comme une ombre, sans allumer, sans rien heurter. Arrivé près de moi, il projeta sur le lit un faisceau de lampe électrique voilé de doigts et s'assit.

Je voyais seulement la masse de sa silhouette et deux mains claires : j'en saisis une et remontai vers son bras nu, m'arrêtant à la manche du pyjama retroussée sur un biceps dur, dur... Quatre ans sans toucher à un bras d'homme.

— Tu aimes le rhum blanc?

Je n'en avais jamais bu; à tout hasard je répondis que oui.

Dans le noir de la chambre, cassé par la lampe douce posée sur la table de nuit, nous nous distinguions à peine, et nous parlions tout bas, pour ne pas éveiller les gosses.

23

Toutes ces quatre années, la nuit s'obstinait à m'apporter le même rêve : une forme, une voix, une présence; un homme qu'au jour je repoussais avec rage après l'avoir appelé la nuit; une ombre très grande, très protectrice, qui m'appelait parfois « toutou tout seul », une voix qui me devançait toujours.

— Qu'est-ce qu'on va pas rêver, j'te jure!

Et nous rigolions, sous l'œil intrigué ou indigné des bonnes mères et des bonnes épouses.

— Six sur dix étaient là pour infanticide, expliquais-je à Julien. Alors, les quatre autres étant aux trois quarts des patates, on faisait clan, un tout petit clan. Pendant le trimestre de cellule, on tricote des maillots de corps pour le vestiaire, on fait des échantillons de points de couture sur du shirting, qu'on colle sur un cahier : ça permet de classer les filles d'après ce qu'elles savent faire. On est pesée, mesurée, on passe des tests... ensuite, on descend dans les groupes. C'était interdit de communiquer d'un groupe à l'autre : chacun avait sa salle à manger, sa salle de jeux, son éducatrice. Tu penses, aux ateliers on était toutes mélangées, et c'est plutôt le jour qu'on bavarde et qu'on sympathise... Imagine le trafic, d'un groupe à l'autre, toutes les filles à leur fenêtre le soir, qui gueulaient et s'appelaient, les biftons, etc. J'étais voisine de cellule avec Cine. Le matin, l'éducatrice ouvrait les verrous (« Bonjour, Anne, avez-vous bien dormi? » et moi : « Oh, voui, Mzelle! »), puis elle se barrait à la cuisine, en bas. Cine venait m'aider à me lever... tu comprends, quoi... Il fallait, en plus, être prête pour descendre avec les autres au déjeuner : le vrai marathon. Ou alors, j'allais réveiller Cine; mais ça m'ennuyait. Son cosy — parce qu'on avait des cosys, dessus de lit en cretonne, le studio, quoi — oui, son cosy était plein de photos de ses gosses et de son mari. Je préférais ma piaule, une des seules sans gosses ni homme. On se réunissait chez moi avec les autres membres du clan... enfin, tout alla très bien jusqu'au jour où les histoires de cul sale s'en mêlèrent.

— Moi, quand j'étais en Centrale... dit Julien.

Je savais : « Affranchis personne », cette démarche glissante, comme de profil, cette affinité totale et obscure dès le premier instant entre lui et moi... Ginette m'avait bien dit que son frère était « un casseur », mais j'y avais vu une manière d'amabilité pour moi qui sortais de Centrale... bien avant ses paroles, j'avais reconnu Julien. Il y a des stigmates imperceptibles à qui n'a pas connu la taule : une façon de parler sans s'accompagner des lèvres, cependant que les yeux expriment, pour l'embrouille, l'indifférence ou la chose opposée; la cigarette au creux de la paume, le choix de la nuit pour agir ou seulement parler, après la contrainte du silence diurne.

Le rhum diminuait dans la bouteille; la nuit allait vers l'aube, chuchotante. Julien assis, moi étendue, il m'était facile et naturel de poser la tête sur sa poitrine,

25

de me laisser serrer, roulée en boule à partir des genoux, ma douleur entreposée ailleurs. Je dis :

— Je déteste les hommes. Non, même pas, je les ai oubliés. Regarde, Julien, comme même en caressant ta poitrine mes mains s'arrondissent, comme tu me sembles dur, comme je suis sans force...

Julien me rappela à l'homme.

Émerveillée, je répétais : « Reste, reste... »

— Il faut que je descende, maintenant. Pour ma mère : je dors dans sa chambre, et...

— Oh, reste...

— Quelques minutes, alors.

— Je ne dormirai pas. Je t'appellerai.

Depuis ma chute, je ne me rappelais pas avoir dormi. Parfois, l'inconscience de la nuit devait interférer avec celle du sommeil, bien sûr; mais sans que cessent le film des images et le marteau régulier de la viande, à présent bien établie dans son nouvel état. Des circuits s'étaient constitués, des cadences : dans ma cheville, soudain, quelque chose s'éveillait en chuintant, comme l'eau qui fuse d'un tuyau percé; d'autres sources se mettaient à gicler, puis toutes se rejoignaient et coulaient en se faufilant le long de mon corps. Ou bien, la douleur faisait sa pelote au-dessus du talon, se roulant et se distordant lentement; lorsque la boule était prête — j'arrivais maintenant à en prévoir l'instant —, elle se brisait avec une sensation de lumière; et les éclats, traversant mon pied à

26

toute allure, venaient exploser, en étoiles aussitôt éteintes, au bout des orteils. Là, je respirais : il se passerait un bon moment avant la formation de la boule suivante. Je n'avais jamais eu de fracture; mais je sentais bien qu'il y avait là-dedans une bouillie d'os et de chair bouleversés, et qu'il faudrait beaucoup d'art et de patience pour l'ordonner. A moins que...

Je me tenais serrée au bord du petit lit, pour que Julien pût se coucher sur le dos; j'étais accoudée, mon visage au-dessus du sien, dans l'obscurité : la lampe de poche avait fini d'éclairer, il n'en restait qu'un petit œil rond et rougeâtre, loin de nous. Le ventre contre la hanche de Julien, émue par l'amour, le rhum, et le mystère de cette nuit, je pleurais, sans larmes vraies :

— Je ne veux pas...

Julien devait rouvrir un œil :

— Qu'est-ce qu'il y a, mon petit lapin?

— Ils vont me couper la patte... Je ne veux pas! Je... Mais tu ne vois pas qu'elle est en train de pourrir ma guibolle? On me la coupera, je ne marcherai plus jamais...

Et que pouvais-je exiger? Julien m'avait sauvée toute, il sauverait bien cette jambe aussi. Je savais qu'il trouverait la solution aux limites exactes du danger. Attendre. Ne pas crier, serrer les dents, il y a la mère, il y a les gosses — jamais étonnés de me voir toujours couchée, à leur réveil, le soir, entre eux deux; bonjour Mademoiselle, bonsoir, pépiements et rires échangés par-dessus mon lit, mais aucune question, aucune hostilité... au-delà de ce qu'on ne leur disait pas, au-delà de leur innocence, leurs yeux comprenaient et reflétaient les miens. Aussi ne tenais-je à leur cacher de moi que la partie dégoûtante : cette jambe cassée, fendue, affreuse.

— Dans quelques jours, disait Julien. Encore un peu de courage, va. Je suis en train de te chercher une planque. Là, on pourra te faire soigner comme il faut. Mais c'est encore trop près, dans la distance et dans le temps. Tu sais qu'ils enquêtent partout, même dans les hôpitaux.

Et il partait, et il revenait quelques nuits plus tard, et à nouveau le jour l'éclipsait.

J'avais renoncé à m'étonner, à questionner. Je recevais l'eau et le pain, les paroles et la musique, avec la sensation d'être retranchée du temps et de moi-même. Là comme ailleurs, une routine s'était installée : chh-chh, attention la boule va exploser, poum-poum les gosses rentrent de l'école, Eddie m'apportera bientôt à boire ; et je boirai, tout, pour garder mon mal au bain-marie jusqu'à demain, jusqu'à l'odeur du pain grillé qui montera vers moi avec la cafetière et le grand bol.

Deux semaines se passèrent encore. Je m'étais évadée aux alentours de Pâques, et rien ne ressuscitait, rien ne mourait ni ne vivait. J'avais encore quelques mois pour me préparer au rendez-vous avec Rolande ; j'avais parlé d'elle à Julien, et il riait comme un fou après l'amour :

28

— Bien sûr, ce n'est pas comme avec tes petites amies...
Et :

— Te bile pas, tu y seras : je t'y porterai, s'il faut.

— Tu me vois, sur des béquilles!

— On te mènera en voiture, si... Mais je te dis que dans deux mois tu cavaleras comme un lapin. Pense ce que tu veux, ajoutait-il en cognant son front contre le mien, mais, avant tout, pense que tu ne me dois rien. Et que je suis un salaud d'avoir couché avec toi.

— Mais, Julien, tu ne m'as pas violée... Et d'ailleurs, quelle importance? N'es-tu pas surtout mon frère?

— Ton frère!... Ah, je serais venu te chercher, tu aurais guéri, et plus tard, en toute liberté... là, ça aurait été beau. Mais...

Pâques sonnait à toute volée par la fenêtre, entre-bâillée sur un avril léger; nous parlions, le verre aux doigts : pour une fois, Julien était arrivé de bonne heure et m'avait monté l'apéritif. Des odeurs de viande et de gâteau grimpaient l'escalier, j'avais envie de manger et de boire, de quitter mon rectangle. Et, au même instant, Julien me demanda si je voulais déjeuner en famille, pour me changer un peu du plateau.

— Oui, mais... J'ai pas de fringues...

— Attends, je vais voir si Ginette a quelque chose à te prêter.

Je me préparai donc : un vieux pull et une jupe, de la vaseline pour assouplir ma figure desséchée, l'unique mule à l'unique pied. Julien me porta à la table, dressée dans la cuisine, m'assit entre la mère et lui. La table était ronde et petite : je déplaçai ma chaise pour poser mon pied bandé sur le genou de Julien. Pendant tout le repas, il mangea d'une seule main, retenant de l'autre ma poupée, la serrant un peu, pour qu'elle eût moins mal. Assise, la douleur était différente : les os faisaient un étau se broyant lui-même, un gros cube de fer gênant et posé à faux. Cependant, je riais et mangeais avec les autres : à Pâques, un pied, même celui-là, ne saurait être sujet de résistance ; mon pied était sous la table parmi les autres pieds valides, et il le devenait aussi à leur contact.

Au dessert, le petit garçon fumait, gravement et sans s'étrangler, au cigare d'Eddie, qui avait pris la mère sur ses genoux et l'enserrait d'un bras, attirant de l'autre Ginette, un peu soûle, qui parlait et pouffait à outrance. Des os de poulet, trois cuillères de petits pois, restaient au fond du plat, et le gâteau attendait parmi les détritus, les verres, les serviettes rejetées. J'avais encore faim : ce repas était le premier depuis des années. Manger était devenu une habitude et une attitude, un passe-temps et un prétexte. J'étais dispensée des cours du soir, qui ne dépassaient pas le niveau du certificat : pendant que les filles étaient « à l'école » avec les éducatrices, je préparais le repas du soir.

J'avais vite assimilé mon cours d'enseignement ménager : en un quart d'heure la tambouille était prête, et il me restait une grande heure et demie de liberté. Je m'échappais par la fenêtre de la cuisine, pour aller respirer sur les remparts, ou pour rejoindre une fille qui s'était fait dispenser d'école sous prétexte de malaise. Nous faisions des tilleuls dansants.

Oui : être à la cuisine quand l'éducatrice n'y est pas, filer dans les étages lorsqu'elle vient soulever les couvercles : « Anne, ça sent rudement bon! Qu'est-ce que vous allez nous servir?... »

Le dimanche, l'éducatrice s'attable avec ses ouailles. On a dansé un peu, après la messe on a écrit aux familles, et maintenant on s'empiffre de la bonne gamelle d'Anne. La promenade, tout à l'heure, nous fera digérer. On traîne les pieds, ton petit os qui marche, — marche plus, mon os, chérie! — le cœur lourd de pâte brisée, vers le dîner où on bouffera encore, jusqu'à s'ensommeiller, ouf, dormir, encore une semaine de tirée.

Sainte Graille : les pains de margarine volés dans la réserve, les poules tuées dans la basse-cour juste avant l'inventaire trimestriel, cuites, partagées et mangées en douce; les colis de fête des filles assistées, obligatoirement versés à la chère collective. Merci, maman, d'après ce qu'on m'en a dit tes pigeons étaient bien bons. Ma chérie, monte un bobineau de fil ce soir, je te ferai passer quelque chose par la fenêtre, tu vas te régaler. Oui, Mademoiselle, mon quart de lait n'est jamais plein, on m'en vole, moi je travaille, j'ai besoin de mon lait.

Graille, litanie, bourdon, éclaboussures. Même l'« apéritif », macéré des semaines avant les jours de ripaille accentuée, ne chauffait pas comme ce vin libre : je suis poivre... L'envie de m'étendre, de flotter, montait en moi avec des bouffées de bien-être; je pressais mon talon contre le pantalon de Julien, viens, montons, abandonne cette conversation familiale qui s'éternise et me laisse à la porte.

Avec la gravité de l'ivresse, ils me raccompagnèrent solennellement et firent cercle autour de ma jambe, la dénudèrent, y appuyèrent leurs doigts à tour de rôle, essayant de la faire cambrer et jouer. Là, je me laissai pleurer : c'était bien vrai, c'était éclatant de jour, ma patte nous menaçait tous. Julien même ne me consola pas; il fit seulement virer mes pleurs en colère, emmène-moi, emmène-moi n'importe où, ramène-moi si tu veux, l'essentiel c'est ma jambe et chaque jour il est plus tard pour elle.

Julien promit : demain.

— ... et tâche de pas faire du gringue au type dans la voiture, c'est mon pote.

Où était Julien mon amant? Pourquoi se moquait-il, pourquoi était-il cruel? Pourquoi détruisait-il toute tendresse? Croyait-il qu'en l'aimant, je troquais, j'acquittais, alors que là encore je ne cherchais que mon mieux-être et mon orgueil?

... Un matin, enfin, une voiture stoppa devant la maison. Ginette m'avait aidée à enfiler un de ses pantalons, à

32

bourrer dans un sac de plage le contenu de la table de nuit. J'étais un peu plus riche, riche de linge, de savon et de cachets pour dormir. Ceux-ci avaient été prescrits, en même temps que des compresses d'eau blanche et des bains d'eau salée, par le toubib de la famille, qu'on avait appelé un soir où je me tortillais particulièrement : « une grosse entorse », avait-il diagnostiqué.

Allons-y donc pour l'entorse, même si celle-ci n'a rien des entorses de ma jeunesse, qui ne m'avaient jamais empêchée bien longtemps de courir et promettaient, sous la légère ecchymose et la bonne douleur, la validité prochaine. Carabinée ou pas, c'est une entorse : je vais les surprendre, je vais descendre l'escalier toute seule, je... aïe, me voilà encore par terre, c'est raté. Vite, un genou, un coude, le pied en périscope, remontons dans le rectangle, qu'on ne me trouve pas ainsi étalée.

— Bonjour, t'es prête? Bon. Je t'enlève.

Julien entrait en trombe, m'embrassait sans me regarder, passait un bras sous mes genoux, enfilait le sac de plage à son épaule. Moi, les bras noués à son cou dans une pose maintenant familière, je regardais mon rectangle avec ses draps en désordre, la cuvette pleine d'eau savonneuse, les lits où les gosses dormaient encore : un rai de soleil sciait les volets clos :

— Il fait beau? demandai-je.

— Chaud, même. Et il va y avoir du trafic, c'est le premier mai.

Présentations. Cordialité, café, baisers. Je discernais, dans la bonne humeur générale, une pointe d'allégement : j'allais être soignée, mais aussi j'allais ailleurs... Pendant ces trois semaines, mes hôtes avaient peut-être, eux aussi, trouvé le temps long.

Aucun risque que la police vînt me chercher là, bien sûr ; mais elle aurait pu faire une petite descente pour Julien, qui était interdit de séjour dans le département, et m'accrocher au passage.

— Tu penses, s'ils vont m'empêcher de venir voir ma mère !

C'est pourquoi il venait la nuit, lorsque la police ne frappe pas aux portes calmes, et s'échappait avant l'aurore. J'étais cachée au premier étage ; lorsqu'ils venaient, coup de hasard ou parlottes de bons voisins, ils n'avaient pas de mandat de perquisition, et Ginette et la mère pouvaient ouvrir de grands yeux en les invitant à fouiller ; et même... une cousine peut bien s'être cassé une jambe. Mais le coup dur se joue des calculs, et le coup de pouce qui fait dérailler la machine est souvent donné par excès de zèle, de part ou d'autre.

L'ami était très gros, très jovial, la cinquantaine environ, bien sapé : l'image que je me faisais du truand arrivé, retiré des prisons et des affaires... J'étais d'ailleurs bourrée d'images : j'avais été enfermée trop jeune pour avoir eu le temps de voir quoi que ce soit, et j'avais beaucoup lu, rêvé et divagué. Pour moi, la réalité était faussée comme le reste; et, pendant qu'on m'installait sur la banquette arrière — je pouvais m'y étendre complètement —, je me figurais appareiller pour un repaire luxueux et horrible.

La route était toute innocente, printanière, encombrée de voitures encombrées de familles, fleurie de menus étals offrant des clochettes : la route du muguet.

Julien bavardait avec son ami. Je voyais ses oreilles bien cernées par la coupe des cheveux blonds, son cou, un peu de col blanc émergeant du complet bleu marine : bleu, blond, rasé, rose, et l'autre bleu, rasé, rose et grisonnant. Mon destin était désormais de passer d'un lit à une banquette de voiture, d'une banquette à un lit, d'être posée, trimballée où le voudraient des hommes fraternels et étrangers, qui ne me devaient rien et à qui je devais emprunter.

Et, loin d'être gênée, je me sentais frustrée, maussade, j'avais des exigences muettes : tout m'est dû, mais j'aime prendre moi-même. Je ne peux plus prendre, et je ne sais pas, je ne dois pas chercher à savoir ce que l'on veut me donner.

Nous étions si bien, cher, ces dernières nuits... ce lit que tu m'avais donné, je pouvais au moins t'en faire les honneurs; cachant mon émotion étonnée sous la parade facile des gestes, j'étais à la fois vierge et savante... Mais maintenant nous sommes partis, ce dos de banquette est plus épais que le mur qui m'a blessée, les portières sont barreaudées; et je ne retrouve, dans le balancement souple de la voiture qui roule et roule, que des impressions antérieures à ce qui était, récemment, ma vie. Une vie s'était constituée, depuis mon arrestation : pendant des années, je l'avais laissée germer, joyeusement absurde, naïve et dégueulasse.

Dans cette vie-là, on n'était jamais enlevé, câliné, évadé; on se tenait debout, dans le noir des cages du panier à salade, ou assis sur le dur des lattes de bois. Mais dans cette vie, quand même, on pouvait gambader en secret sur le jalon certain de chaque journée. Ma liberté neuve m'emprisonne et me paralyse.

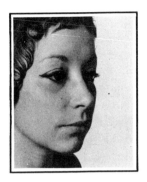

Chapitre trois

— Allez, Nini, fais pas cette tête, débouche-nous plutôt une bouteille.

— Oh, bien sûr, Monsieur est tout content, maintenant qu'il nous a livré son colis!...

Nini est noiraude, mince et ossue, avec peu de poitrine, des pommettes aiguës et colorées, l'œil petit et vif. Toute sa féminité lui vient des accessoires : frisettes, robe collante, talons épais mais hauts. Elle a l'air d'une marionnette, elle doit être une Jordonne. D'après ce que j'ai compris.

elle était serveuse ici avant de se mettre à la colle avec le patron, et la mère et le fils du patron.

Le convoyeur, qui a accepté de trinquer — « sur le pouce, ma femme m'attend » —, Julien, qui a troqué ses chaussures contre des savates, Nini, Pierre son homme, et moi enfin, « le colis » : nous sommes seuls dans la guinguette. Aucun client, aucune animation ou cordialité commerçante : depuis la fermeture, Pierre a relégué le sourire et le rond de bras avec le reste, sous la poussière du décor abandonné. La salle à manger, rustique, luisante, communique avec le bar par une porte voûtée, largement échancrée, qui garde ses rideaux ouverts : j'aperçois le comptoir sale, les étagères en fouillis, bouteilles vides et Bottins côte à côte avec une panière de linge à repasser et un fer, des entassements de paperasses, de dossiers, de partitions... Je me demande s'ils laissent pourrir la baraque par dépit d'avoir dû la clore, ou par espoir de la rouvrir prochainement. Dans ce dernier cas, il suffirait de redresser les tables et de donner un coup de plumeau.

Il émane de ce bric-à-brac un mélange de bonne humeur truquée et de tristesse ; et moi, habituée à l'exiguïté des cellules, j'ai un peu le vertige devant tout cet espace : la piste de danse contiguë au bar, que nulle cire ne fait plus miroiter, la loge de l'orchestre avec des instruments momifiés dans leurs housses noires, appuyés contre le piano ou contre des piles de bancs.

Au-dessus de la piste, une verrière illumine et détaille

les surfaces avec la précision d'un projecteur. De notre côté, le soleil entre, plus flou, par la baie de la salle à manger, et avec lui toute la verdure de la terrasse : des pots et des jarres de toutes tailles, contenant toutes sortes de plantes et de fleurs, ont remplacé les petites tables où l'on buvait frais; en contrebas, le portail, le chemin, la rivière.

Je demande, pour dire quelque chose :

— On se baigne, ici? Évidemment, lorsqu'on dort à dix mètres de l'eau, le premier soin au réveil doit être d'y piquer une tête?

— Avec la vase qu'il y a! dit Pierre. Enfin, c'est bon pour les écrevisses. Et puis, ça attire le client : un tour d'accordéon, un tour de canot...

Dédaignant de poursuivre, il se lève pour décrocher son bandonéon et se met à pianoter des arpèges distraits, en faisant bâiller lentement le soufflet. Il semble avoir très chaud; son torse gras ne porte qu'un maillot de corps, et je vois ses aisselles humides, son front luisant.

— Vous connaissez la musique?

J'essaye de donner des références : des années de violon dans un Conservatoire de province, un solfège et un doigté rouillés par le manque d'exercice, mais que...

— Eh, Julien, interrompt Pierre, en posant son bando écartelé pour attraper son verre — un quart de flotte, deux gouttes de pastis, apéro pâle et opale pour buveur retraité —, à l'occasion, apporte-lui un violon, elle pourra

39

gratter ça toute la journée! A propos, quand tu auras un magnétophone, pense à moi, hein? Et le Solex pour Nini...

Julien fait « oui, oui », bien calé sur sa chaise, les jambes étirées.

Je sens chez mes hôtes, à son endroit, une cupidité servile, voilée par le ton camarade et complice, qu'équilibrent aux deux bouts le respect pour le type qui sait voler, et la condescendance pour le type qu'on dépanne. Car enfin, ils acceptent de me prendre en pension, et en connaissance de cause, ou presque : sans trop préciser, Julien m'a décrite comme « une mineure en cavale » : que j'aie cavalé d'une Centrale ou de chez mes parents, je suis pour eux un risque. Du reste, Pierre appuie avec insistance sur ce dernier point, glissant sur les dédommagements passés et à venir, envisageant sans illusion le jour où je serai reprise et où, sommée de me mettre à table... Je proteste :

— Mais vous savez, il y a quatre ans, lorsque les flics...

— Aïe! Pierre bondit avec joie : Vous voyez bien. Alors, mettons-nous d'accord tout de suite : ici, j'ai mon gosse, et j'interdis qu'on parle devant lui de...

— Mais il n'est pas là!

— Quand il y sera, ce sera la même chose. Autant vous habituer dès maintenant : jamais « flic », jamais prison », jamais un mot. Compris?

Eh mais, je suis retournée en taule!

Au fond, je préfère ça à l'interrogatoire. Je décide, à

cette minute, de ne jamais prononcer une parole au-delà des besoins du service, d'être aussi muette que je suis immobile, et de laisser à ma guibolle l'apanage des hurlements.

Pour passer de l'état de servante à celui de maîtresse, Nini a dû s'aider de ses dons culinaires : le poulet fond, la glace ne fond point, le gâteau est moelleux. Les patrons font glisser tout cela à grands verres d'eau minérale; Julien remplit mon verre et le sien : pour ce prix-là, on a quand même droit au meilleur picrate.

Sous la table, il y a une barre d'appui transversale : j'y ai faufilé ma jambe, je l'ai calée dans cette position coincée où la douleur est moindre, l'éclatement des orteils moins fréquent.

D'ailleurs, l'explosion n'est même plus douloureuse : c'est une seconde intense, attendue, où il suffit de ramasser l'attention et de serrer secrètement les mâchoires, tout en gardant les lèvres écartées en sourire et les yeux bien droits. Ainsi, mon apparence est en accord avec le diagnostic général « une mauvaise entorse, mais, d'ici quelques semaines... »

Julien, vas-tu finir par nous lever? J'ai trop bu et mangé, j'ai sommeil. Je voudrais parler, faire une invitée honorable, récupérer ces gens-là par n'importe quel moyen, bien que je sente déjà que nous n'aurons jamais rien pour nous rencontrer et nous comprendre; ils sont la planque, je suis la camelote : normal que nous ayons hâte d'être débarrassés l'un de l'autre. Mais ma patte seule sait à quoi ils s'engagent...

— Sommeil, ma poule? chuchote Julien.

— Pas tellement, seulement, heu...

Depuis le début du repas, je me fais l'effet d'une gosse qui se trémousse timidement sur sa chaise d'adulte; je rêve de me lever dignement et discrètement en disant « Excusez-moi un instant », et de marcher, négligemment, comme quelqu'un que rien ne presse, vers le fond de la salle de bal, où le coin « Toilette » a perdu son néon, mais gardé sa pancarte.

Il faut bien qu'il prenne l'air indulgent, Julien, pour m'y porter.

— Tu y arriveras, toute seule?

— T'en fais pas, je tomberai pas dans le trou.

C'est pourtant bien ce que je manque de faire, dans ce cabinet à la turque dont je ne puis utiliser qu'un patin. Les doigts s'arc-boutent en glissant aux murs de carreau blanc, le talon soutient tant bien que mal la fesse, le pantalon me ligote les cuisses.

— Julien, dis-je en recroisant les doigts derrière son cou, qu'est-ce qu'on fait, maintenant?

— Patience, on va aller faire la sieste dans cinq minutes, le temps de boire le café. Qu'est-ce que tu veux, ils sont comme ça, il faut se les farcir! Mais tu n'auras pas à t'en occuper : on te montera tes repas, tu auras la radio, tu seras peinarde : toute une chambre pour toi. Avant, tu sais, ils faisaient un peu hôtel aussi...

— Et ils continuent en clandé, au prix fort? Ça va,

42

j'ai compris. Tu peux me ramener à table, je ne broncherai pas.

Enfin, après l'interminable café, pousse-café et pousse-pousse, je franchis, comme une mariée, le seuil de ma nouvelle piaule. Une chambre d'hôtel d'ordre moyen : fauteuil pelé mais profond, radiateur et lavabo également dépourvus d'eau chaude, l'inévitable désaccord entre les fleurs de la tapisserie et celles du couvre-lit; et le miroir, toujours trop haut, et les feuilles de journal tachées et jaunies sur les étagères de l'armoire. J'y déploie mon baluchon, en l'étalant le plus possible : au grand jour, les vieilles culottes de Ginette manquent de gloire, mais l'essentiel est de meubler l'espace.

Je pose mes pipes et mes allumettes sur la chaise, près de la tête du lit; et, doucement, je me déshabille. Julien, après avoir tourné la clé dans la serrure, s'est étendu en bras de chemise et endormi aussitôt. J'ai déjà remarqué en lui cette faculté de passer instantanément de la veille au sommeil : lorsqu'il voulait bien partager mon rectangle, il me disait bonsoir et dormait alors que j'en étais encore à lui répondre. Je m'amusais alors à reconnaître, du bout des doigts, ce corps que je n'avais jamais bien vu et qui venait d'être, quelques secondes, le mien. Que c'était donc peu de chose, comme cela traçait peu sur nos solitudes!

J'appuyais la main sur sa poitrine et j'interrogeais, à voix basse : parfois, le dialogue s'établissait, ou bien Julien rêvait tout haut, et je me penchais, attentive, oppressée par les énormes pans d'inconnu dressés entre nous.

Une nuit, il dit :

— Je te vois... Tu·portes une blouse à carreaux bleus et blancs, tu cours dans l'herbe...

A la prison, l'uniforme de semaine était une blouse, à carreaux, bleus et blancs. Julien ne l'avait évidemment jamais vu, je ne lui en avais pas parlé non plus.

— Mais, dis-je au dormeur, tu ne m'as jamais vue courir...

Au réveil, Julien avait ri comme un dingue :

— C'est toi qui as rêvé...

Je ne cherchais plus à comprendre : ou bien je marcherais très vite, et très vite je repartirais vers les rêves laissés en haut du mur, ne gardant de ces semaines qu'un souvenir de mystère et d'ineffable tendresse, une ébauche que je ne préciserais pas, et je retrouverais la fille qui me plaisait pour bâtir avec elle des jours et des nuits; l'ennui suivrait, peut-être, et la démolition lasse; mais les images resteraient collées dans l'album de pacotille et en inviteraient de nouvelles... Ou bien... Ou bien, je marcherais longtemps encore dans les bras de Julien, nous ferions l'amour ou nous ne le ferions plus, aucune importance, mais le fil tissé de lui à moi dès la nuit des arbres noirs irait se consolidant et se lovant, lui, moi, lui, moi...

Eh non! La vie saurait bien le cisailler, ce fil, comme les autres.

44

Pour la première fois, je n'ai pas envie de connaître la fin, ni même la suite, de cette aventure. Je suis là, nue, sur le fauteuil, à regarder Julien qui dort; je voudrais rester ainsi, stagnante, tiède, dans le silence où s'élèvent seules nos respirations régulières, sans plus devoir faire les gestes, dire les mots qui nous échangent et nous trahissent; cette minute est vraie et vibrante, je l'étire en éternité...

Puis, le temps reprend, les questions et les désirs me réentortillent; je me lève, en m'accrochant à l'armoire, pour franchir les deux énormes mètres qui séparent le fauteuil du lit. Je fais le premier mètre en décalant mon pied droit de côté, talon-pointe, talon-pointe, le be-bop des bals dominicaux, là-bas — et de là je plonge, bras en avant, pour agripper, de justesse, le pied du lit. Je rampe jusqu'à l'oreiller : de tout près, je détaille, pore à pore, ce visage d'homme tué; je me voudrais cruelle et j'ai envie de douceur, je suis jalouse : réveille-toi, ou fais que je vienne aussi dans ton sommeil.

Nous redescendons pour le dîner. L'heure approche où je serai hissée, bordée, embrassée et laissée seule : Julien doit partir, regagner la ville où il fait semblant de travailler. Il reviendra « bientôt, bientôt... » J'ai une vague envie de hurler, je barbouille le pull de Ginette de maladroites traînées d'œuf, quelle idée aussi, Nini, des œufs sur le plat, vos œufs sont gluants, je les déteste, je n'ai pas faim. Julien, ne pars pas tout de suite, laisse-moi m'assommer d'abord. Je minaude :

— Puis-je avoir encore un peu de cet excellent cognac?

— Mais... il me semble que vous aimez boire! dit Pierre, le sourcil froncé. Ce soir, son gosse est là et il joue le rôle paternaliste pour nous deux. Piètre colis, moi : éclopée, muette, mal fringuée et soiffarde. Je serre les doigts autour du ballon : cognac, ma perle chaude, ma couleur, mon sommeil. Julien prend la bouteille et la monte en même temps que moi dans ma chambre. Il la place à portée de ma main; bientôt, je ne le vois plus, je ne vois plus rien jusqu'au lendemain.

Une autre semaine coula. Après l'euphorie verte et dorée du voyage, peu à peu, je me refroidissais. Mai restait frileux, et la chambre sentait l'humide. J'y campais, entortillée dans une veste de daim qui appartenait à la collectivité : à Julien, à ses copains, à moi, à qui en avait besoin. Je n'osais pas rester dans les draps : le premier soir, après une journée solitaire et sommeillante, Nini m'avait monté sur un plateau un repas agréable, et assez copieux pour rassasier trois jeunes filles de bonne fourchette. Moi, fourchette désœuvrée, je triplai mon volume stomacal et nettoyai le tout. Le lendemain matin, Nini apporta des tartines fraîches en couronne autour d'un grand bol de café au lait; en même temps qu'elle claironnait un « Alors, elle a bien dormi? » commercialement amène, elle tournait le bouton de la radio, ouvrait la fenêtre.

Je dévorai en musique et me laissai rendormir.

46

Mais, dans l'après-midi, Pierre monta, les mains vides :

— Alors, vous ne voulez pas déjeuner?

— Mais... ce repas unique me convient très bien; c'était mon habitude, il y a quelques années : je m'y referai facilement... Non, merci, je peux attendre le plateau.

— Écoutez, tout ça c'est très joli, mais ma femme n'est pas la boniche...

(C'est vrai, on ne peut pas être et avoir été.)

— ... et je pense que vous pourriez descendre à table avec nous. Je vous porterai.

Le plateau de la veille, tout chargé qu'il fût, était quand même moins lourd que moi. Mais, pour ne pas encombrer sa logique, je déclarai à Pierre que je parviendrais bien à gagner toute seule le beefsteak servi sur la table familiale.

A présent, sitôt les tartines avalées, je be-bopais jusqu'au lavabo, je faisais une grande toilette glaciale, je m'habillais; puis, posée au milieu du lit dont j'avais tant bien que mal tiré les couvertures, la patte figée dans une frigidité douloureuse, je salivais en attendant midi sur de vieux magazines, des Ménage en musique et des cigarettes. A midi moins cinq, je descendais l'escalier sur les fesses, je traversais le bar à cloche-pied — progrès : je pliais maintenant le genou sans l'aide des mains — et j'atteignais la cuisine. Pas question d'utiliser, pour manger, la salle à manger : toute miette du premier balthazar était époussetée et digérée depuis longtemps.

La mère de Pierre, gâteuse et muette; Pierre avalant

une quantité de nourriture « de régime » (salade au kilog, entrecôtes géantes et litrons de Contrex); Nini qui mangeait debout tout en surveillant la suite du repas sur le fourneau, tout ceci faisait une atmosphère compartimentée, pénible, où manger devenait la seule contrainte susceptible de me profiter dans l'immédiat. Oh bien sûr, un jour, je rirais de toutes ces tranches; mais en attendant, j'avais à marcher; leur souvenir ferait pour la bonne humeur une matière première stimulante et vaste; mais auparavant, j'avais à me refaire de la matière osseuse, donc à bouffer, et à avaler sans mot dire le calcium que Nini présentait sous forme de soupes au lait épaissies par du vermicelle.

— Ça rafraîchit, disait-elle.

Le calcium s'entassait; l'humour aussi. Et ma fracture... eh mais, depuis le temps, elle devait s'être consolidée. Même en position vicieuse, mon os était ressoudé, il fallait donc qu'il consentît à me porter, même si ça devait grincer un peu. De plus, j'en avais marre des vannes de Pierre — « Faut pas être mollasse dans la vie », jetait-il, les yeux énergiquement braqués sur le mur au-dessus de ma tête —, j'en avais marre des magazines et des soupes au calcium.

Nini m'avait donné une chaussette d'homme en laine, que j'enfilais par-dessus la bande Velpeau pour essayer de réchauffer les orteils, violets et froids, morts; elle faisait chauffer de grandes bassines d'eau, y jetait du gros

48

sel et m'invitait à y faire trempette après le déjeuner, non tellement par sollicitude, mais pour que je débarrasse le plancher de ma chambre pendant qu'elle y passerait l'aspirateur; mais mon pied ne ressuscitait pas.

Le septième matin, je ratai mon essai et je déboulai l'escalier, la tête dans les étoiles. Se relever n'était plus une question de vie ou de mort : je n'essayai pas. Nini me trouva ainsi, les mains serrées sur ma cheville et les paupières serrées sur mes larmes.

— Mais pourquoi n'avoir pas appelé? Vous avez mal?

Je hoquetai que oui, que je n'en pouvais plus, oh Nini, faites quelque chose, ma jambe est en train de mourir.

— Julien a téléphoné, dit-elle, il pense venir dans la journée. Mais on ne va pas l'attendre. Vous ne pouvez pas rester comme ça : moi, j'appelle l'ambulance. Allez hop, appuyez-vous à moi, vous allez vous allonger et ne plus bouger. Je m'arrangerai avec Pierre. Pierre était, selon sa propre expression, « en train de faire le cave à l'usine », nous avions deux bonnes heures devant nous. Je fis semblant de m'affoler :

— Mais c'est terriblement risqué! Et quel nom vais-je donner, à l'hôpital? Je n'ai pas de papiers...

— Vous serez ma sœur, dit Nini. C'est moi qui suis responsable de vous, je vous ai élevée : d'accord? N'oubliez... n'oublie pas de me dire « tu » devant les infirmiers. Allez, viens : je les appelle tout de suite.

Je rassemblais mes affaires, lorsqu'on pianota à la

porte : un pianotage léger, crépitant, du bout des ongles.

— Entre, Julien, dis-je, avec l'assurance de ne pas me tromper : Nini cognait d'une grosse phalange, Pierre remuait le loquet et entrait sans attendre; d'ailleurs, Pierre... il faisait le cave : je le fais, mais je ne le suis pas; moi aussi, Julien, je pourrais me mouiller, mais j'ai femme et gosse, etc.

Avant l'arrivée de l'ambulance, nous eûmes le temps de faire l'amour.

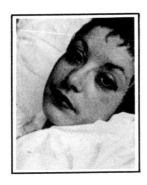

Chapitre quatre

— Vous avez mangé? demande l'infirmière.
— Oui : deux tartines et du café au lait.
Manger, manger! Il s'agit bien de manger. Va-t-on me soigner, oui ou non? J'ajoute :
— ... et je n'ai absolument pas faim.
— Tant mieux, car vous devez rester à jeun : on vous préméditera, d'ici une heure.
— On me quoi?
— On vous préparera pour le bloc, si vous préférez. En attendant, je vais vous raser la jambe.

L'infirmière est menue, toute jeune; son intonation est gentille, rassurante; elle chante le jargon barbare comme elle manie le rasoir, avec l'application d'une science et d'une compassion encore neuves. Je voudrais qu'elle m'épile toute, tant je suis émue : enfin, ma patte est prise au sérieux. Je suis même passée d'un extrême à l'autre et je commence à souhaiter que ce ne soit pas trop, trop sérieux.

Les infirmiers m'avaient portée de mon lit à l'ambulance dans une chaise, qu'ils posaient avec un heurt précautionneux et feutré comme celui d'un ascenseur de luxe : pa-oum, le sol me recevait comme trente-six mille épaisseurs de velours. On me versa sur la table de radio des urgences, l'un des infirmiers portant le corps et l'autre portant la jambe. Nini, droite comme un balai, l'air sévère et la lèvre passée au minium, s'efforçait de tenir ma main; oh, grande sœur, que votre main est indifférente, laissez tomber cette comédie! Le bureau des Entrées a enregistré vos dires, je n'ai que faire de votre présence, allez-vous en.

Non : elle accrochait un des hommes en blanc et réussissait à prendre un ton angoissé :

— Alors, docteur? C'est grave? Vous n'allez pas la garder, tout de même?

J'avais relevé le buste et j'écoutais, appuyée sur les coudes, la patte offerte à la lumière crue.

— Je crains que si, Madame : c'est une mauvaise fracture, un astragale...

Le toubib s'avisa que je guettais sa bouche et sortit de la pièce, entraînant Nini. Combien de temps allais-je rester sur ce nouveau rectangle, métallique, inhumain? Ce décor incompréhensible, bizarre, géométrique, tout en manettes, boîtes, tubulures, cliquetis et ronrons, la tiédeur calme, un peu moite, m'inquiétaient et me berçaient tout ensemble. J'avais atteint un nouveau point de départ, et déjà un jalon opaque se dressait entre le matin et l'instant présent : la table rigide s'enfonçait sous moi comme une escale moelleuse, je reprenais souffle et espérance.

Nini rentra, seule. L'air sévère avait fait place à l'air grave :

— Vous savez, vous allez peut-être la perdre...

Je ne demandai pas quoi. Le silence se mit à hurler, une épaisseur de cris me boucha la gorge; je regardai mon pied, noir et blême, mon pied qu'on allait jeter à la poubelle. Et soudain je réalisai combien je tenais à chaque cellule, à chaque goutte de mon sang, combien j'étais cellule et sang, multipliés et divisés à l'infini dans le tout de mon corps : je mourrais s'il le fallait, mais tout entière.

D'autre part, ces idées de mort, d'amputation, restaient lointaines, extérieures, un peu burlesques même : en haut du mur aussi, avant d'ouvrir les mains, j'avais pensé « tu vas crever », mais sans vraiment y croire. Ici encore, la menace me parvenait en différé, à travers des récits et des images vécus par d'autres; la vie qui pulsait en moi, le souvenir tout proche des acrobaties et des gambades, l'amour du matin, me retenaient aux bords de la réalité.

La réalité, cette pourriture?... Elle n'appartenait qu'à moi, en tout cas. Je l'avais rejetée, bien avant les toubibs, mais je leur refusais le droit d'en faire autant : je reprenais ma pourriture et de deux choses l'une, je la sauvais ou je pourrissais avec elle.

Salle commune : six lits seulement, dont quatre occupés.

Je désignai le plus éloigné de la porte et le plus proche du lavabo :

— Je peux prendre celui-là?

Mais oui. Plus de colis, plus de mollasse, plus d'étrangeté : dans cette salle, c'étaient Nini et les autres valides qui ne semblaient pas à leur place; moi, je rentrais dans le rang, je m'assortissais, je devenais « la malade du 5 », et on trouvait tout naturel que j'eusse la jambe en compote. Ma jambe justifiait ma présence, m'ouvrait les sollicitudes et les sourires, c'était une belle fracture, un exploit, en somme.

Le soleil réchauffe mon pied à travers le drap. Depuis mon saut, je n'ai jamais eu chaud comme cet après-midi. Lorsque je buvais ou que Julien m'aimait, l'onde courait mais se glaçait aussitôt, et un coton froid m'entourait en permanence. Ici, le rayon me tiédit progressivement, les radiateurs aussi fonctionnent, chaudière au ralenti : je suis bien, je ne sens même plus mon mal.

54

Mon lit est étrange : sur le matelas, il y a un premier drap entourant le traversin, sur lequel un autre est plié en deux et bordé en alèze; sur moi, un drap, une couverture, un autre drap rayé de filets bleus et au chiffre de l'hôpital : système compresse. J'ai deux oreillers; mais si j'en désire trois, ou quatre, ou dix, il me suffira de les demander...

Je bascule vers la tablette blanche, à deux étages, à ma droite, pour attraper mes cigarettes. Dès la première bouffée, le lit d'en face, perpendiculaire au mien, s'agite : une jeune femme y est couchée de tout son long, ses bras seuls remuent. Au-dessus de sa tête est fixé un miroir, qu'elle oriente par un système de tourniquet : elle peut ainsi voir ce qui se passe dans la salle sans bouger la tête. Ça ne doit pas être marrant de se regarder ainsi tout le jour dans ce plafond-reflet. La fille manœuvre son viseur, elle me cherche. Elle parle, les yeux fixant mon image :

— Faites attention que la Major ne vous voie pas, c'est défendu... surtout si vous montez au bloc!...

— Oh, pardon, dis-je, je ne savais pas...

— Ce n'est pas que ça nous gêne, je fume aussi et les autres malades ne craignent pas la fumée. Mais il vaut mieux attendre l'heure des visites. Et vous, aujourd'hui, ça pourrait vous rendre malade, « après »...

— C'est à quelle heure, les visites?

— De midi à deux heures, et le soir de six à sept,

le dimanche tout l'après-midi. Je ne veux pas être indiscrète, mais... C'est votre maman, la dame brune qui vous accompagnait? Elle vous ressemble.

— C'est ma sœur aînée, dis-je avec gravité. Mais je la considère comme ma mère, c'est elle qui m'a élevée.

Ne sachant pas au juste si je suis orpheline, ou flanquée de parents malades, ou lointains, je décide d'attendre ma sœur pour recevoir des précisions sur ma situation de famille, de façon à pouvoir les fournir avec assurance. Au bureau des entrées, j'ai donné mon vrai prénom et mon âge exact : le prénom, parce que je l'aime bien, et l'âge parce que je crains que les toubibs ne le devinent d'après l'état de mon squelette : je ne grandis plus depuis une demi-douzaine d'années; mais j'ai été précoce, je puis être tardive; et, jusqu'à la majorité des cartilages, j'ai encore des années à franchir.

Nini reviendra-t-elle, ce soir? Julien m'a promis de lui téléphoner dans l'après-midi. Il n'y a de lui à moi que des relations intraduisibles par téléphone, mais j'espère quand même, je ne sais pas exactement quoi... plus tard, lorsque je marcherai, que notre marche à tous deux apparaîtra normale, un gars qui tient le bras ou la main d'une fille dans la rue... je connaîtrais les rues avec Julien, je saurais où elles le mènent... Je m'enfonce dans mes oreillers et je ferme les yeux. Les autres malades aussi reposent, dans le cocon surprenant de leurs lits déformés par des cerceaux, d'où émerge parfois, au pied, une cordelette passant sur une poulie et supportant un poids. Elles sont immobiles, les yeux ouverts sur un journal, sur un ouvrage, ou sur le vide. Une éternité de morne espérance pèse sur elles.

Dans le couloir, des chariots roulent, avec un grondement menu et caoutchouté; une musique de radio se découpe, de très loin, sur le silence azuré de la fenêtre. Je bâille, l'hôpital pénètre en moi et me dorlote comme une vieille nounou : là, là, c'est rien, c'est fini, embrasse le bobo.

Pourtant, je guette la porte.

Vivement que Nini arrive. J'ai envie de voir Nini, ou n'importe qui d'autre, pour garder le contact avec le monde que je connais : ici, je dérive dans un monde étranger, j'ai perdu les limbes et les nuages familiers, je regrette presque le froid gris de ma planque... tout est trop lumineux, trop précis : l'ombre où je me réfugiais va se dissoudre, on va me reconnaître... Non, si par extraordinaire un avis de recherche a atteint cet hôpital, la vérification a dû être faite sur-le-champ, à l'époque où j'étais encore chez la mère. Et puis, je suis la sœur de Nini, je porte son nom, un nom anonyme comme ceux qui le suivent et le précédent sur le registre des entrées. Mon nom, ici, c'est ma fracture... un astragale, a dit le toubib? Pas de planche anatomique en vue... mon visage, c'est aussi l'astragale, c'est lui qu'on regardera.

L'infirmière-major entre, poussant un chariot débordant

de boîtes à pansements, de fioles en plastique contenant du jaune, du mauve, de l'incolore... Elle prend le virage et dirige son véhicule droit vers mon coin.

— Quel côté, la piqûre? demande-t-elle, en empoignant une aiguille hypodermique et un coton qu'elle inonde d'éther.

— Oh, n'importe...

— Relevez votre chemise et tournez-vous.

Je me tourne, et la chemise fendue dans le dos s'écarte d'elle-même sur le spectacle de mon derrière nu. Le « Déshabillez-vous » de ces dernières années exigeait un dépouillement total et préludait à une fouille sévère : même après plusieurs mois de détention, avec visite hebdomadaire de la paillasse et du soutien-gorge, les surveillantes m'inspectaient, au retour des Instructions, avec la même minutie : « Mettez le pied sur le tabouret. Toussez...? Bon. » Aussi avais-je obéi très complètement, par habitude, au « Déshabillez-vous » de l'infirmière. La taule me cernait encore : je la retrouvais dans des réflexes, des tressaillements, des sournoiseries et des soumissions dans les gestes. On ne se lave pas du jour au lendemain de plusieurs années de routine chronométrée et de dissimulation constante de soi. Lorsque la carcasse en est libérée, l'esprit, qui était jusque-là la seule échappatoire, devient au contraire l'esclave des mécanismes; l'humilité que l'on feignait devient gêne réelle; moi, mariée à tous les culots là-bas, je n'osais plus, maintenant, prendre l'initiative des actions pourtant les plus naturelles : chez la mère comme chez Pierre, j'avais sans cesse aux lèvres des « S'il vous plaît », « Puis-je », ou j'avais tendance à agir sous la lumière; puis je me rappelais soudain que j'étais libre, et je me faisais maladroite et extrême.

Je gardais l'air ahuri, et, voulant m'appliquer, je gaffais, j'étais trahie par d'anciennes peurs, en même temps que par un exubérant sans-gêne naturel. De plus, je ne connais pas grand'chose du milieu où Julien m'a introduite : en Centrale, j'ai côtoyé plus de criminelles que d'authentiques truandes. Voulant plaire à Julien et lui faire honneur en plaisant à ses amis, je dissimulais mes ignorances sous un mutisme intelligent; ou, m'efforçant de paraître affranchie et cultivée, je m'exprimais comme les héroïnes de la Série Noire ou comme une Précieuse. Mais, invariablement, j'étais ridicule.

Enfin, à l'hôpital, j'arrive en « primaire », comme la plupart des malades de cette salle, certainement : se fracturer les os ne saurait devenir habituel comme une maladie chronique, par exemple; l'astragale couvrira donc aussi mes maladresses.

Je pense, je pense à toute allure depuis que la Major a rabattu le drap sur ma fesse, après y avoir injecté, très lentement, très difficilement, le contenu d'une grosse seringue. Je masse l'emplacement de la piqûre pour faire circuler cette nouvelle douleur : il semble qu'on ait coulé dans ma hanche et ma cuisse des plaques et des rigoles de plomb. Peu à peu, le tourbillon s'apaise dans mon crâne, comme s'arrête la roue des loteries de foire : maintenant, les images tournent très lentement, hésitent avant de se fixer, cependant que les murs et le plafond s'éloignent en un flou pesant; l'air qui m'entoure se solidifie et tombe en gros paquets inconsistants sur le carrelage, une taie noire sort de mes paupières... Attention, il ne faut pas que je ferme les yeux, sinon je suis perdue. Je ne veux pas m'endormir, je veux voir jusqu'aux limites. Au fait, va-t-on me réduire ma fracture sous anesthésie totale, ou suis-je déjà suffisamment insensibilisée? Je ne sens plus rien... Je vais me renseigner. Ma voisine de gauche est une dame âgée, souriante, qui s'est réveillée à l'arrivée de la Major et me regarde, depuis, avec un intérêt sympathique.

— Madame...

— Oui?...

— Excusez-moi de vous déranger, mais...

J'ai attaqué du ton «jeune fille bien élevée», mais quelque chose ne colle pas : ce n'est pas la timidité qui m'ankylose ainsi la gorge; je ne m'entends pas parler, ma langue est énorme et inerte, elle barre le chemin aux mots, et les mots eux-mêmes s'évaporent aussitôt rassemblés; je cherche à me souvenir de ce que je voulais dire, mais tout se dilue, je...

— Chut, dit la dame, ne parlez pas. Reposez-vous bien, fermez les yeux. L'anesthésie sera plus facile si vous arrivez détendue.

60

Donc, on va m'endormir encore. Bon : sûre de n'avoir pas mal, je me rassemble, je lutte. J'accroche une image, tiens,, le dessin du couvercle de la boîte d'allumettes, par exemple. Une province. Aïe, je ne sais plus lire, voyons, devinons : les groupes à la Centrale, chacun portait un nom de province, quatre groupes, les allumettes en boîte, les filles en boîte, le... non, je ne dors pas.

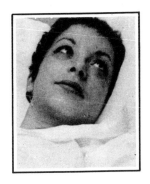

Chapitre cinq

— ... Alors, je lui ai fait mes yeux de biche et je lui ai dit, avec des sanglots dans la voix : « Docteur, c'est atrôôôce, un vrai martyre... » Total, il m'a fait retirer la gouttière et mettre un cerceau. C'est un peu moins haut, mais on peut se planquer tout de même. Julien, mon chou...

Je me sens enjouée, je pétille, si c'était permis je sortirais ma jambe du plâtre, oui : en cambrant le pied et en tirant un peu sec, comme sur une botte.

— Le mouron que je me suis fait pendant ces quinze jours, tu ne peux pas savoir... Oh, Julien, tu es là...

— Mon chéri... Mais comment savoir que c'était si grave? Nini m'a répondu au téléphone qu'on t'avait mise en extension et que tout allait bien! Et on t'opère, et je n'en sais rien!...

Julien est assis tout près de ma tête, un coude sur la table de nuit et une main sous le drap, sur ma hanche.

— Mais Nini n'est pas venue depuis trois jours, et... ça s'est passé avant-hier. Tu vois, tu arrives juste pour ma résurrection. La première nuit, tout de même, j'ai fini par sonner, je gueulais et je n'y pouvais rien... Alors — pour les voisines, remarque bien — j'ai demandé un truc pour me calmer. Je crois qu'on m'a fait de la morphine. J'ai dérouillé encore un peu le lendemain, jusqu'à ce matin, quoi : j'ai passé une nuit horrible, à serrer mon plâtre, le genou ramené sous le menton... Et puis, ce matin, j'ai vu un ange, les oiseaux ont recommencé à chanter, et... tu es là.

Julien regarde sa montre :

— On a encore une grande heure de parloir. Raconte. Raconte-moi tout ce qu'ils t'ont fait.

Je rigole :

— Pas la peine! D'ailleurs ce serait difficile, je dormais aux passages intéressants. Le reste du temps, c'est la routine de l'hostau : le café au lait, la graille à onze et six heures (ça ne change pas tellement de là-bas), les soins, la pénicilline. Je t'assure, j'ai bien plus mal aux fesses qu'à la jambe! Regarde.

64

Je rassemble sur mon ventre la moitié de la brassière : la pénicilline Retard qu'on m'injecte trois fois par jour fait sur ma hanche des ecchymoses violettes, de petits points croûteux... Je crois qu'à l'hôpital, on aime assez exhiber ce qu'on a de plus laid : c'est à qui aura la plus effroyable couture, avec le plus grand nombre de points de suture, le plâtre le plus volumineux, l'extension la plus pesante. Et moi, devant Julien, au lieu de jouer de mes mains et de mon visage intacts, je dénude ma peau criblée de trous et de marbrures, et je regrette de ne pouvoir lui montrer aussi ce qu'il y a sous mon plâtre et qui, à en juger par les infiltrations qui colorent le talon, doit être plus saisissant encore.

Mais Julien... Aujourd'hui, sa main sur moi est douce, sans fièvre, elle visite une malade, elle est sœur. Je sais ce qu'est pour lui une femme, une femme c'est la guitare, c'est commode mais il faut tenir compte de la tendresse, c'est blessé et ça veut chanter. Julien s'occupe gentiment, adroitement de l'amour, mais refuse de s'y prolonger ; c'est le temps de l'ombre fraternelle, toutou tout seul, et ses baisers sont légers, légers comme sa main, mais non, je ne suis pas si fragile !

— Dans quelques heures, je vais m'asseoir...

Je n'ose pas encore : ma patte dort, couchée sur un oreiller, calée de part et d'autre par des sacs de sable. Ce matin, j'ai décidé que je pouvais me laver seule, j'ai accepté la cuvette et refusé l'infirmière ; et, pendant qu'elle lavait les autres, j'ai frotté, rincé, délogé de ma peau les relents du chloroforme, de la transpiration grelottante, les traces moites et ternes de la douleur.

Peu à peu, Nini complète mon matériel; elle ne regarde pas à la dépense, c'est Julien qui acquitte les factures, j'ai le plus beau peignoir, des cigarettes pour un mois, du maquillage pour un an, et même des chaussures de basket.

— Quand tu commenceras à marcher, dit-elle, pratique, il te faudra des godasses qui tiennent la cheville.

— ... Je vais décarrer en baskets et déshabillé à petites fleurs.

— Attends un peu, dit Julien, ça ne fait pas deux jours que tu es opérée! D'ici là, je t'aurai trouvé des robes.

Julien « trouve ».

— ... Plus tard, tu auras des armoires pleines, tu changeras dix fois par jour si ça te plaît. Mais pour le moment, il faut user les vieilles fringues : un temps pour tout.

Julien se dresse, inspecte la salle : chaque lit est un petit conseil de famille. A l'heure des visites, les malades s'ignorent, elles s'isolent pour retourner à leur vie; les visiteurs se resserrent autour des lits, s'affairent à ranger les tables de nuit, à redresser les oreillers, ils déballent furtivement des gâteries douces ou reconstituantes : eux savent, et l'hôpital ne sait rien.

Nini vient deux ou trois fois par semaine, pour me réapprovisionner et prendre mes commandes; le reste du

66

temps, je suis orpheline. Pour éviter les engagements curieux ou compatissants des clans voisins, je lis ou je sommeille avec application jusqu'à l'heure de saint Thermomètre. A quatorze heures pile, l'infirmière apparaît, son bocal à la main : « Les visites, siouplaît! ». Et, pour activer l'évacuation des lieux, elle commence à distribuer les engins, après les avoir examinés et énergiquement secoués : « Température! ». L'hôpital reprend ses droits, les intrus se sauvent. Quelques rebelles s'attardent dans une étreinte prolongée, une dernière rectification des fleurs sur la tablette... Ils m'ennuient : qu'ils s'en aillent, que ces dames reviennent, qu'elles redeviennent des alitées livrées à la solitude, aux impératifs du traitement, au ronron des heures lisses.

— Ça va, avec tes voisines? Pas trop curieuses?

— Sûr qu'après ton départ tes oreilles vont siffler... La dame d'à côté, c'est — comme tu peux voir — une mère, grand'mère, tante, belle-mère... Sa ruelle est toujours encombrée de parents. Elle est là pour une patte mal recollée, elle a marché trop tôt et il a fallu lui visser une plaque. Mais ne parlons pas des délits...

— Et toi, qu'est-ce que tu leur racontes?

— Tout un bateau : j'étais chez ma sœur, je jouais avec le chien, il est descendu par l'escalier de la terrasse — je me repère avec le plan de la baraque de Pierre —, pour aller plus vite j'ai sauté dans la cour, un truc, ma pauvre dame, que je faisais pourtant tous les jours...

67

J'ai dû raconter ça au bloc, hier l'interne m'a dit :
« Voilà ce que c'est de jouer avec les chiens! »

Je poursuis :

— Avec Nini, vous êtes mes seuls visiteurs du dehors,
mais quelquefois j'ai un interne ou un brancardier qui
vient bavarder. Tiens, il y a un petit infirmier...

Julien tique imperceptiblement, ses pupilles se font ternes.

— ... il m'a promis d'apporter son Kodak. Ce sera
bien, non, des photos-souvenir?

— Mais ça ne va pas? Ta photo, elle est dans tous les
commissariats, tu y penses? Ma parole, tu es une vraie
môme. Je te défends bien de t'amuser avec ce mec.

Je n'insiste pas, mais je me sens un peu déçue : j'aurais
préféré que Julien me confisquât d'abord le photographe.
Ma photo!

— Oh, je lui demanderai les négatifs, si tu y tiens.

— Tu sais ce que ça va chercher, un recel de malfaiteur?
poursuit Julien à voix basse. Nini et Pierre sont des bour-
riques, d'accord; il n'en demeure pas moins qu'ils se
mouillent pour toi et que tu dois t'en souvenir à chaque
seconde, à chaque parole que tu dis...

Mais il m'ennuie! Je réponds :

— Oh, ça va, la mentalité, j'en ai à revendre... Dis-moi
plutôt ce que tu es.

— Pardon?...

— Oui : mon cousin, mon beau-frère, qu'est-ce que je
leur dis?

Julien sourit, ses yeux redeviennent clairs; il encadre mon visage de ses mains et le garde ainsi; nos regards s'enracinent, rient du même rire, s'approchent... Oh, j'aime ce baiser. Saint-Thermomètre, laissez mon visiteur là, près de moi, sous le cerceau.

Julien se recule, il fait les yeux blancs, et murmure avec une emphase moqueuse :

— Ma fiancée...

C'est donc ainsi que je l'explique aux dames. Madame Plaque et Madame Miroir me complimentent et forment des vœux pour notre jeunesse :

— Vous faites vraiment un joli couple...

— Si vos enfants sont frisés comme vous, avec les yeux du père... Mon Dieu quels beaux cheveux vous avez.

— Oui, épousez-le, allez. Il a l'air si gentil, si honnête!

— Il a une situation?

Ouais! Une situation très recherchée. Qui rapporte beaucoup. Pour expliquer les visites espacées, je déclare que mon fiancé voyage pour le commerce. Après quoi, je demande à Madame Plaque de me prêter son couteau, pour délier le carton à gâteaux que Julien a laissé sur la tablette.

Autant leur fermer la bouche avec de la crème au beurre.

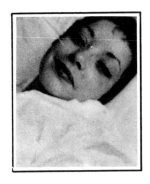

Chapitre six

Après le passage des vendeurs de journaux et de croissants, on ne voit plus, jusqu'à l'heure des visites, que des gens de médecine.

Chaque jour, l'assistant du Professeur fait sa ronde avec les internes; mais l'assistant, on ne le voit pas. Pour nous, seul existe Dieu-le-Père, celui qui a baptisé le service, celui qui nous a recréées, de ses propres doigts ou par doigts interposés, Dieu qui a fait le plan de notre opération, l'a choisi parmi plusieurs techniques.

Il a fouillé nos radios jusqu'à la moelle, pendant que nos carcasses reposaient, inertes, ne se sachant pas observées : il juge, coupe, tranche, greffe, mais nous n'avons pas accès à sa cuisine. Notre viande nous est confisquée ; et, s'il nous est permis d'en redisposer un jour dans la joie d'avant, sainte Ingambillité, nous ne saurons jamais par quels chemins elle nous est revenue.

Dieu-le-Père passe deux ou trois fois par semaine. Les jours de visite du grand patron, la fille de salle déplace les valises sous les lits, balaie les cadavres accumulés sous nos chevets et désinfecte les bassins avec un soin inhabituel et ostensible ; par contre-coup, nous écopons de ses « Oh là là! ». Pas question de ravoir le bassin avant le grand passage. Nous contractons nos sphincters, nous lissons les revers de nos couchettes, nous avivons nos yeux et nos lèvres. L'amour que nous Lui portons toutes nous inspire des poses gracieuses, fait surgir des tablettes les ouvrages ou les lectures que nous estimons les plus aptes à accrocher son attention : s'il daigne s'apercevoir que, tout autour de l'os, il y a une femme, un être indécoupable qui travaille et qui pense, s'il abandonne un instant nos radios pour regarder notre visage, s'il nous donne un sourire ou un mot, alors s'effaceront nos souffrances et nos ignorances, alors nous guérirons et nous saurons.

Il approche : pieds et pattes, bas nylon et plâtres, éclat et pâleur, tout se confond et se fige en une même humilité. La Major escamote le chariot, s'assure que nulle cigarette ne fume aux recoins des tablettes, puis se dirige vers l'angle du coffre aux radios.

C'est une grande caisse blanche, à couvercle épais, montée sur roulettes; elle contient nos dossiers. La Major plonge sous le couvercle, sort nos six états civils et les dispose au pied des lits. Elle les subtilisera dès la sortie du patron.

Moi qui ne connais même pas mon groupe sanguin, j'aimerais bien mettre le nez dans ce carton. Mais comment? Le temps d'exposition sur le lit est trop bref, et la Major ne décolle pas de la salle, surveillant simultanément le couloir par où va déboucher le cortège et les gestes que nous essayons de faire. Le coffre n'est pas fermé à clé, mais comme personne ne marche... Soudoyer un visiteur? Me faire pincer en flagrant délit d'auto-curiosité, très peu. Je guette : un jour, le patron stationnera devant le lit d'en face, drainant l'attention générale, et tout le monde me tournera le dos assez longtemps pour que je puisse pêcher, feuilleter et remettre en place. Je me doute, certes, que mon électrocardio-gramme, l'analyse de mes divers liquides et la photo de mes éponges sont également satisfaisants : comment pour-rait-il en être autrement?

— J'ai mal...

— Je suis affreusement fatiguée (ou énervée, ou cons-tipée).

— Regardez, docteur, c'est pas un début d'escarre?

... Quoi qu'on se découvre de surprenant ou d'inquiétant, il faut, lorsqu'on en réfère à Esculape, s'attendre à cette réponse :

— Mais c'est normal, voyons!

Il est donc normal que je sente mon plumard balancer et virer dans l'abîme, que j'aie les reins en arc-en-ciel, des fringales suivies de haut-le-cœur, la boule dans l'œsophage et les orteils gisant sur leur socle de plâtre comme cinq petits boudins morts. D'ailleurs, tout ceci ne m'inquiète pas : non seulement parce que « c'est normal », mais aussi parce que j'accepte chaque fantaisie, chaque réaction de ma carcasse avec résignation et avec un certain intérêt.

Mais ce que je voudrais savoir, c'est comment ils ont fait pour gracier ma patte après l'avoir, d'emblée, guillotinée; ce qu'ils ont bien pu y introduire comme vis, plastique ou plaque pour la remettre d'aplomb, et quel est cet outil oublié, cet outil qui m'envoie par moments sur des paliers de douleur vertigineux, insoupçonnés. A chaque piqûre d'antibiotique, la douleur du B.C.G. d'enfance — la pire que je connusse alors — revient multipliée par X; je pense alors aux injections de benzine, à mes tentatives de déglingage, à ce que je disais à Rolande : « Si ça ne va pas comme je veux, je me mets la patte en porte-à-faux, je me fais filer dessus un bon coup de tabouret... »

74

Je suis comblée.

Parfois, on questionne Dieu-le-Père :

— Monsieur... ou : Professeur...

Il n'entend jamais. L'un des satellites abandonne alors le sillage et vient étouffer toute question par une phrase simple et lénifiante, invariablement optimiste et vague :

— Quand vous allez marcher? Mais... bientôt, bientôt. Encore un tout petit peu de patience. Ce qu'on vous a fait? Oh, un travail magnifique. Une très belle intervention, n'est-ce pas?

Et le chœur des sous-satellites approuve à l'unisson.

Je commence à me méfier de leurs épithètes : plus c'est magnifique à leur sens, plus c'est grave et long pour nous. Le sens clinique nous manque...

Et il me semble que le patron s'arrête bien longtemps au pied de mon lit. Il sort mes radios, s'écarte vers la fenêtre pour les mirer à la lumière; je me trouve séparée de lui par la marée des blouses blanches qui se pressent autour de ses explications, et il parle si vite, si bas, si hermétiquement, que mon pied éclate en bribes incompréhensibles et que je désespère... Je m'enrage, je me dis qu'il parade, ce n'est pas possible qu'il arrive en direct du bloc avec des gants si exacts et des toiles si blanches autour des chevilles. Il a le verbe sec, la phrase courte, le sourire avare, c'est le chirurgien de mon album.

Pourtant, il m'a parlé, une fois : j'étais en extension depuis dix jours, le talon percé d'une sorte d'aiguille à tricoter aux extrémités reliées à un fer à cheval, dont partait un filin passant sur une poulie et que tirait un poids de sept kilogs. J'étais emboîtée jusqu'à la fesse dans un échafaudage de ferraille; j'avais le buste en bas, car on avait surélevé les pieds du lit : le cancan immobile. Moi qui aime dormir vautrée sur le ventre... Mes voisines me réconfortaient : l'extension, c'est gênant, bien sûr, mais ce n'est rien à côté d'une opération, veinarde, on vous a mis une broche, vous allez éviter l'opération, etc. Je voulais bien faire un échange, moi! J'en avais marre de tirer sur mon filin et de m'écarteler. Ce matin-là, le patron me vit :

— Quel âge avez-vous? me demanda-t-il soudain, en tapotant ma plus récente radio contre la barre du lit.

Il négligea d'ailleurs ma réponse et, pendant que tous se remettaient en route, les pas dans ses pas, je pus rougir et pâlir à l'aise.

— Bon, il faudra m'envoyer les parents de cette gamine, avait-il jeté à la Major, qui notait les instructions à mesure sur mon bloc. A la visite de ma sœur, je la rabrouai : si elle s'était présentée comme ma mère, tu crois pas que t'as l'âge, qu'est-ce qu'on va bien pouvoir leur proposer maintenant... Nini déballa un saladier de fraises à la crème, et, pendant que je me calmais avec, alla parlementer au bureau. Elle revint, la pommette illuminée :

76

— Tout est arrangé, dit-elle. J'ai signé l'autorisation, on vous fera ça dès qu'on aura le résultat de vos examens.

— « Ça »? criai-je. Quoi, ça?

— Votre... enfin, ta jambe ne se ressoude pas, il y a des esquilles, la Major ne m'a pas donné trop de détails, mais... on va t'opérer ces jours-ci, quoi.

Toute la semaine, je reçus dans mon lit : mon attelle rendant impossible tout charriage, le radiologue, le cardiologue, les piqueuses du labo vinrent à moi. Je fis pipi où ils voulurent, je mourus de faim plusieurs matins de suite en les attendant, tant je craignais de louper mon opération.

Enfin, le seizième jour de broche, j'absorbai le Nembutal de l'aube, et j'attendis le bistouri, sommeillante. Cette fois, je savais comment survivre jusqu'au bloc : il fallait laisser la conscience baisser, baisser, et la maintenir ensuite en toute petite veilleuse; éviter de penser, tourner au ralenti les pages du livre coloré, à la cadence qu'elles voulaient; régler les paupières sur « mi-clos », ne rien provoquer, ne rien retenir. Autour de moi, très loin, le train-train du matin se poursuivait, chariots, voiles, bassins, odeurs : six marques d'eau de Cologne, un parfum barbouillé, décoloré par l'urine et les médicaments.

La veille, on avait coupé ma broche, on m'avait peint la guibolle en jaune, on l'avait emmaillotée dans un énorme pansement mousseux; je me fis un maquillage imperceptible, selon la recommandation de l'infirmière.

— Surtout, rien sur la figure, et ôtez-moi ce vernis à ongles.

Même morte, je voulais être agréable à Dieu-le-Père.

A dix heures, les brancardiers me hissèrent sur le chariot, la Major rabattit sur moi les pans de la couverture, glissa sous ma tête et ma jambe deux oreillers immaculés; et je partis, saluant du bout des doigts à droite et à gauche, telle une reine sur son char.

Dans l'antichambre du bloc, où m'avaient conduite des couloirs hallucinants de silence, la Major se pencha sur moi : j'aperçus en gros plan son visage et j'eus le temps de voir ses yeux s'attendrir derrière ses lunettes, pendant que sa bouche se collait à ma joue en un bon baiser crépitant. Elle dit : « A tout à l'heure, petit », et disparut.

Je restai seule, dans la pièce pleine d'ombre propre. Le dossier reposait sur le bout du chariot, après mes pieds, rassemblés comme ceux d'une gisante; mais j'étais incapable d'aller le chercher, le bout du chariot était au bout du monde, et après tout je me moquais bien de ces papiers. Je me moquais de tout, j'étais morte, mes bras étaient morts le long de mes flancs morts; seul le mur vivait, il ondulait et virait doucement.

L'interne de service vint casser ma béatitude; il entra,

faisant sur le vague un bruit et un volume énormes, crachant des torrents de mots et des nappes de fumée. Pourtant, je savais bien qu'il parlait feutré et grillait son habituelle Gauloise; mais ma pensée et mes sens n'usaient plus des mêmes dimensions.

— Alors, petit, hurla l'interne, on est en forme? On ne veut pas dormir?

Je pensai « non, non », j'essayai de rallumer mon regard.

Et je mourus, la main gauche dans le gant de l'interne, le bras droit raidi sur la planchette, dès que l'anesthésiste eût commencé à pousser le piston de sa grosse seringue à penthotal. Je mourus dans un agréable fourmillement aux tempes, sans avoir assisté à l'entrée de Dieu.

Je montai ainsi au bloc trois fois : l'espace laissé par le départ de mon astragale ne se comblant pas, on écrasa le vide par deux nouvelles broches, une dans le talon et une dans la cheville; les quatre étriers émergent du plâtre, recourbés à la pince et fixés par du sparadrap. Un jour de congé de la Major, j'ai enfin réussi à subtiliser le dossier, exposé dès le petit déjeuner par la remplaçante, et à recopier le compte rendu des interventions. J'ai appris des mots : résection, abrasion, astragalectomie, arthrodèse...

Julien vient me voir, irrégulièrement; comme l'été monte, il apporte des fruits et des bouteilles, il ressort pendant la visite pour aller acheter des glaces pour moi et mes voisines. Dressée sur mes oreillers, je le regarde

traverser la salle, le sourire blond, l'air sage et saugrenu
avec ses cinq ou six cornets de vanille-fraise en équilibre
au bout des doigts. Toute la salle, excepté moi, est
fiancée à lui. Nous apparaissons naïfs et insouciants, nous
nous tenons les mains.

— Ah! Anne, vivement que tu reviennes... Le soir
où on t'a hospitalisée, j'ai dormi chez Pierre, dans ton
lit. En entrant dans la chambre, je t'ai vue, je t'ai respirée,
tu étais encore là...

Je m'appuie à lui, je tache de fond de teint l'épaule
de sa chemise; la veste est jetée sur le cerceau, les
pelures tombent une à une, nous nous reconnaissons...
Chaque parloir est immense d'espoir et de néant, il
n'y a pas de place pour nous sur la terre : l'errance
ou la geôle, toujours, et toujours seuls.

— Vivement que tu reviennes...

— Mais je ne veux pas retourner là-bas!

— Il faut, pourtant... Le temps de t'enlever ton plâtre,
oublie pas que tu es la sœur de Nini... Après, je trouverai autre chose, à Paris probablement. Tâche de savoir
approximativement la date de l'exeat.

— Au fait, Julien, tu t'es renseigné sur « arthrodèse » ?

A sa dernière visite, je lui ai remis les copies, avec
mission de les décrypter.

— Oui : ça veut dire « bloquer ». Ton pied ne cambrera
plus.

80

« Vous pouvez la perdre », « Faudra m'envoyer les parents », et maintenant « bloquer »... Sur l'épaule blanche mes yeux déteignent, plus je pleure plus ça pique, plus ça pique plus je pleure, ah, maudit rimmel. Plus jamais je n'aurai de pointe de pied, adieu talons hauts, je vais boiter et toi tu vas être la béquille d'une fille estropiée, qui ne saura pas ce que tu en attendais peut-être, qui ne saura pas même se réaliser... L'avenir trébuche : comment être maintenant audacieuse, insolente ? Comment oser me montrer ? Rolande...

Je réfléchis, je m'éloigne, jusqu'à la fin des visites je reste couchée sur le bras de Julien, muette, machinale, reniflant des larmes. Lui me berce, me caresse d'histoires douces et se fout gentiment de ma peine. Des chirurgiens, il y en a d'autres, plus tard on t'emmènera chez les super-champions et... Mais oui, nigaude, tu recavaleras comme avant.

Le lendemain, je demande à l'interne si je peux partir.

Le gars examine les radios de contrôle, rabat le drap, me plie le genou, redresse mes orteils, à présent frais et dégon-flés, mais toujours inertes : avec sa blouse décolletée sur un triangle de poil, ses hanches entortillées dans un tablier blanc qui lui bat les jambes, il a l'air d'un grand animal déguisé en boucher. Il me regarde, puis aperçoit la bouteille de Monbazillac sur la tablette et sourit :

— Vous n'êtes pas bien, avec nous ? Maman vous permet de boire, comme ça ? Puis :

— Je pense que vous pouvez sortir : demandez au Patron, mais je ne vois pas de raison... Vous reviendrez à la consultation pour faire couper votre plâtre.

— Mais... je ne peux pas partir... tout de suite?

— Ça... je ne sais pas.

Julien revient tout à l'heure, il faut qu'il m'emmène... Je choppe la Major : elle fait soigneusement approuver et contresigner toute autorisation par les chefs du service, mais devant nous elle aime assez jouer les manitous. A onze heures, en me tendant mon assiette, elle me donne le feu vert :

— J'ai fait établir votre bon de sortie, vous partez cet après-midi. Vous voulez une ambulance, ou on vient vous chercher?

— Non, non, j'ai quelqu'un.

La fille de salle prend nos assiettes, les porte à la table centrale, vide les détritus dans le seau. Elle passe le chiffon sur le Formica bleu de la table, bleu comme les murs et juin, là, dans la fenêtre. Une touffeur berceuse entre, par paquets; la fenêtre brille, comme si la peinture perlait. Je pars, je vais sortir de cette pesanteur bienheureuse, de mon lit au soleil, je sors de l'hostau.

Un flic est venu, hier : il cherchait « une mineure accidentée sur la route ». Il est venu droit à mon lit, ma voix a pâli et mon dos s'est mis à ruisseler; mais j'en étais encore à parler du chien et de la terrasse qu'il

82

avait déjà tourné les talons. J'ai su ensuite que la mineure en question se trouvait dans la salle voisine : collision en Solex, un genou éclaté. Mais quand même, quel trac! Julien a raison : la petite sœur, en proie aux questions accidentelles ou bienveillantes, encombrera moins par sa présence.

Il me semble entendre Pierre : « Tu penses, une môme, si elle nous envoie tous aux durs... » Bon, ça va, je reviens. Mais cette fois, je ne me laisserai pas faire : j'ai un pedigree, une astragalectomie, et Julien, Julien dont vous prenez un soin de larbins parce qu'il a du fric... Julien est là, il veillera à vous faire avaler vos langues empoisonnées, et bientôt je marcherai sur vos langues, moi aussi.

— Tu m'emmèneras avec toi?

Où, c'est sous-entendu : tous ces mots, prison, casse, police, j'ai appris à les taire. Lorsque j'en usais, même à voix basse, lors des premières visites de Julien, ils semblaient toujours claquer dans un trou de silence; et toute la salle, alitées et visiteurs, virait vers moi, attentive et indignée. En une seconde mon mot fabriquait un cataclysme, j'étais reconnue, entraînée, lynchée... Puis, je m'apercevais qu'il n'y avait rien, que personne n'avait entendu ni bougé. Si, Julien : son visage accusait le coup, par un imperceptible chamboulement de l'expression, une ombre, un ennui; aïe, encore une gaffe, Anne... Comment faire, pour plaire à Julien? Comment concilier ce que je sais de lui et ce que j'en vois? J'ai mis un pied — bloqué — dans la vie d'un voyou, et tout m'y surprend, tout m'y intrigue... Julien, un casseur? Et pourtant, c'est par le pouvoir du pognon qu'il va cueillir la nuit sur les murailles périlleuses que ma jambe a guéri. En Chirurgie, si l'on n'est pas assuré social, c'est huit ou neuf sacs par jour, et il y a la pension chez Pierre, les frais de toutes sortes... Julien me fait une jambe en or. Pourtant, je refuse la béate gratitude : je sais bien que j'aurais été capable, moi, que j'aurais été obligée même d'en faire autant, si j'avais aperçu dans mes phares, une nuit de printemps glacée, un homme ayant besoin de moi pour finir de se libérer.

— Tu sais, tu aurais été vieille et moche, ç'aurait été pareil...

Eh oui, cher. Et c'eût été encore plus beau, je sais. Si par malheur je t'aime, ou si, bien pire, tu te mets à m'aimer, toujours tu abîmeras, tu refuseras, en vertu de choses supposées et fausses... C'est faux, c'est faux... Payons donc le tribut à la jeunesse, soyons de très tendres frères, enterrons toute mémoire, puisque tu y tiens. Julien fredonne :

— Ah! Si y avait pas ton plâtre...

Tu m'emmèneras : ce n'est plus une question.

... Nous revoilà chez Pierre, dans notre chambre. Je suis assise par terre et Julien sur le bord du lit; nous ne

84

nous touchons pas : seul, le peigne distrait de ses doigts m'aère la tête. Il fait très chaud. Paresseusement, nous enchaînons les phrases l'une à l'autre, nous parlons de choses reposantes et fraîches, de livres, de nos voyages autour de la cellule; puis, de choses froides, de parcours désertés, de vains pèlerinages... Moi, je suis morte et reniée, j'accueille tout à partir de cette mort, sous les arbres noirs, et le reste... le reste est enfoui avec ce qu'on savait de moi, ce qu'on recherche : quelle vie pourraient avoir des photos et des empreintes? C'est tout ce qui reste d'avant, mais... merde! Ça reste quand même très bien. Et maintenant cette patte, en plus...

— Remarque, avec mes béquilles, je passerai partout. Plus tard, on pourrait faire un plâtre bidon, amovible...

— Pour faire encore plus vrai, on aurait pu te la couper et attacher ton bas avec des punaises. Mais, dis donc, on pourrait presque mettre un bas tout de suite, sur ce plâtre-là!

Modeste, je regarde ma botte : c'est vrai qu'elle est jolie, d'un rose de gouache pas encore maculé, les éperons fixés par du sparadrap frais...

— C'est mieux que ce que c'était, bien sûr...

Le tabac sèche nos bouches; nous fumons quand même, par automatisme. Nini nous a concédé un cendrier, une soucoupe de bar en verre, plate, désolante. Elle déborde déjà.

— Attends, fous pas les cendres par terre, elle va encore renauder demain. Voilà qui sera mieux.

Et Julien tire le bidet, par ses pattes de fer, de dessous le lavabo. Nous y secouons nos cigarettes : nous sommes lavés, nous avons le temps; le temps chaud et stagnant, le temps qui passe minute à minute, sans bruit, sans fièvre, en chuchotant.

Chapitre sept

Depuis que cette guibolle fait dans l'ombre sa petite réfection, elle doit être mille fois plus costaud que l'autre, qui n'a jamais eu autant de petits soins. Je réclame pour elle à Nini des aiguilles à tricoter, je lui fais acheter un litre d'eau de Cologne par semaine et je subtilise des lames de couteau à la cuisine. Ça démange, là-dedans : j'y gratte avec ma lame, puis je verse le long du tibia et du mollet des rigoles de Chypre ou de Lavande. Pierre renifle avec mépris : « Encore à vous parfumer! »

87

J'expédie les repas et je me sauve sur mes béquilles, devant ou derrière la maison. Lorsque Pierre est parti faire le cave et Nini à son ménage, j'enlève le peignoir et je me fais brunir, nue, les yeux fermés sous le ciel torride. Des filets de sueur se rejoignent sur ma peau et coulent dans l'herbe, mon plâtre se resserre, il fond. Je béquille jusqu'au lavoir, je me trempe dans le bassin, la jambe posée au sec sur le rebord : là, c'est sérieux, il faut plus que jamais vivre écartelée, les broches traversent les os et une goutte d'eau peut m'infecter. La toilette des orteils aussi demande beaucoup d'attention : le simple contact du gant les réveille. Un matin, j'ai ôté le sparadrap des broches, et, effilochure par effilochure, j'ai découpé autour de l'une d'elles une rondelle de plâtre, pour voir. J'ai vu une tige de métal, plongeant dans une chair rouge foncé, serrée, boursouflée; à force de tirer et de pousser, j'ai réussi à faire jouer une broche; mais l'autre reste coincée. Je pense à ce que je vais passer lorsqu'on me l'extirpera, je pense au rond de vilaine jambe et j'ai envie de pleurer. J'en ai marre, je voudrais en finir.

Et, soit pour me voir trotter, soit pour me voir débarrasser le plancher, tout le monde aimerait bien en finir aussi : au fond, Pierre serait ravi que je fasse un petit coup de tête. Pourquoi dois-je attendre Julien? Qu'est-ce que je réclame encore?

— Ouais, bien sûr, il faut que vous restiez à proximité de l'hostau... Mais après? Qu'est-ce que vous comptez faire?

Pierre étire pensivement son bando où il pique des exercices de mécanisme, un coup d'œil sur la méthode, un coup d'œil sur moi, un arpège, une phrase. Il a abandonné son maillot de corps et étale sur la ceinture de son short des bourrelets huileux. Je suis assise devant lui, en culotte et soutien-gorge, la chaleur y autorise.

— Comment?... Mais Pierre, je vais marcher, je me débrouillerai.

— Vous débrouiller. Mais vous ne marchez pas, pour le moment. Supposons... Julien a dû vous affranchir, vous n'ignorez pas que, *pour vous,* il prend des risques. L'osier...

— Vous inquiétez pas, nous sommes en compte, ça, ça s'arrangera entre lui et moi.

Mais de quoi se mêle-t-il?

— Ah! Entre lui et vous! Et là, maintenant?

Pierre pianote avec fureur, les gammes montent et descendent sous ses doigts étrangement désassortis au reste de sa personne : des doigts agiles, gracieux, précis, attachés à une masse de gélatine secouée et hurlante.

— Vous vous rendez compte qu'il n'est pas venu depuis dix jours?

— Il travaille!... Et puis, avec la trique, ce n'est pas la peine qu'on le voie trop souvent dans le secteur.

— Eh oui! Vous parlez comme un livre! Et s'il ne revient pas, s'il lui est arrivé un coup dur? Vous y avez pensé, à ça?

Oh oui, Pierre, j'y ai pensé. J'y pense à chaque heure, à chaque seconde. La pensée de Julien m'éveille et me garde éveillée, au long des nuits où je guette chaque moteur, chaque porte, chaque pas. Peut-être puis-je ainsi écarter de sa route le malheur et l'ombre... garde-toi, Julien. Moi, maintenant, je marche : sur une ou deux ou trois pattes, je marcherai toujours assez loin pour te retrouver, te réparer à mon tour, s'il le faut. Mais garde-toi plutôt... J'examine le bout de ma cigarette :

— Julien finit toujours par revenir, dis-je.

— Oui, la dernière fois on l'attendait pour dîner et il s'est pointé deux ans après.

— Eh bien, à ce moment-là, on l'assisterait. JE l'assisterais. Après vous avoir réglé, bien sûr. Mais, comme Julien vous paye toujours quelques semaines d'avance, je ne pense pas qu'il soit utile de me bouger pour l'instant. Que voulez-vous, je suis mollasse.

(Oh! Ces propos comptables!)

— Vous ne bougerez pas de toute façon, dit Pierre. Le jour où vous passez le portail, c'est bon. Vous ne voudriez quand même pas aller au turf comme moi je vais à l'usine? Et le soir, ramener dans votre sillage les michetons, les lardus...

— ... et les macs.

J'ajoute cela parce que Pierre est en train de détailler mon buste avec une indifférence appuyée et que je comprends très bien où il veut en venir. Au temps de

90

la guinguette, je ne pense pas que les quatre chambres, là-haut, étaient classées uniquement touristes.

J'imagine Nini changeant les miteuses serviettes et cherchant les petits chapeaux dans sa poche à monnaie, merci m'sieur-dame. Au rade des soirs de paye — un grand Vichy pour moi —, Pierre aura tôt fait de me constituer une clientèle.

Il tourne une page de sa méthode et dit :

— Vous comprenez, avec les clébards personne n'entre ici sans montrer patte blanche : si quelqu'un vient vous voir, c'est que je l'y aurai autorisé. Déjà bien assez qu'il ait fallu donner l'adresse à l'hôpital... J'espère que vous ne vous êtes pas fait envoyer des cartes postales ici ?

— Puisque je vous dis que je ne veux renouer avec personne !

— Renouer non, mais... Je ne sais pas, moi : des malades, des infirmiers...

J'ai envie de l'écœurer à mon tour :

— Oh, l'adresse était en toutes lettres sur ma feuille de température, au pied du lit. Si quelqu'un s'est servi, je n'y peux rien. D'ailleurs, c'est Nini qui réceptionne le courrier, elle n'aura qu'à renvoyer à l'expéditeur.

J'ai du mal à ne pas pouffer. S'ils savaient ce que j'en fais, de leur respectable bordel !

Le dimanche, Pierre et Nini s'en vont toute la journée, emmenant le môme et me laissant la mère : ils ont acheté un pavillon pour leurs vieux jours, et se dépêchent de peindre, meubler et planter des pieux, pour pouvoir bazarder le bal-musette et se retirer définitivement à la campagne.

Le samedi, Nini prépare de quoi manger pour sa belle-mère et moi, c'est-à-dire qu'elle fait cuire des œufs et des patates, me laissant le soin de les éplucher, et « il y a des conserves dans le placard, si vous avez faim ». Elle emporte les clés de la maison et le dimanche matin, à l'aube, alors que j'abandonne mon guet, Julien ne viendra pas — et que je m'apprête à dormir dans les premiers rais de soleil, elle passe la tête à ma porte et crie :

— On s'en va. Si on sonne ou si on téléphone, ne répondez surtout pas. Allez, à ce soir!

Je réponds que je ne répondrai pas et je m'endors, jusqu'à l'heure du café au lait pour la belle-mère. Celle-ci, à part manger et dormir!... Elle passe ses journées assise dans la cuisine, les mains à plat devant elle sur la table de marbre, des mains verdâtres de cadavre; elle ne bouge pas, ne dit pas un mot et ne s'émeut qu'au fumet des assiettes, qu'elle vide comme une bête affamée, vora-cement, salement. Ce tête-à-tête des dimanches a quelque chose d'hallucinant.

La seule porte que Nini ne peut cadenasser est celle du réfrigérateur géant, un frigo de restaurant où l'on pourrait suspendre des bœufs entiers, et qui sert à présent de casier à bouteilles. Derrière le dos de la belle-

92

mère, je m'y shake d'effroyables cocktails. Ce qui me donne le plus de mal, c'est de trimballer mon verre : j'ai les mains indisponibles, refermées sur les poignées des béquilles. Je déplace donc le verre demi-mètre par demi-mètre, par terre, dans les intervalles de mes pas; arrivée sur la terrasse, je m'allonge, vêtue du seul plâtre, et je m'emplis d'alcool et de soleil.

Au retour des patrons, j'ai pris mon bain dans le lavoir, j'ai les dents rincées, je suis fraîche jusqu'au genou, lucide et morte de soif :

— Ce soleil, ça dessèche.

Pauvre Pierre, qui veut me faire travailler à domicile et dont je vole le whisky sans doute réservé pour ce genre de réceptions.

Je reprends :

— Moi je veux bien, mais je me demande si ça ferait plaisir à Julien d'apprendre qu'il est un mac.

— Oh, mac, mac, tout ça c'est des mots. Il sera très content au contraire : il n'aime pas être en dette. D'ailleurs, vous n'êtes pas mariée avec, non?

Et Pierre me démontre que cet argent ne serait pas considéré comme celui que je gagne, mais comme celui que je dois; qu'il l'accepterait à ce seul titre, d'ailleurs; que je saurais bien, ensuite, expliquer la chose à celui que j'appelle, sans blague! « mon homme », et que, si je sais y faire, il ne s'en choquera pas :

— Les femmes sont tellement fortes pour le baratin...

Pierre étant dans son droit, Julien dans l'ignorance, et moi-même intermédiaire négligeable, l'arrangement doit satisfaire toute morale.

Tant pis pour la morale, je vais affranchir Julien.

J'en ajoute même un peu :

— Un seul des vannes de Pierre acquitterait un mois de pension, tu sais...

Julien est arrivé en pleine nuit, comme la dernière fois : Nini, furieuse d'avoir dû sauter du lit pour lui ouvrir le portail, avait dit, en nous apportant vers onze heures le plateau du petit déjeuner :

— Vous m'avez eue une fois, mais maintenant vous pourrez toujours sonner... Vous charriez un peu, tout de même! A deux plombes du mat, sans avoir téléphoné ni écrit, et allez, vous vous amenez comme une fleur. Je vais recommencer comme quand l'hôtel marchait : à onze heures, je boucle tout et je lâche le chien.

Cette nuit, Julien a sauté le mur, caressé le cador et enquillé par une fenêtre du rez-de-chaussée : à partir de là, les portes sont ouvertes, et la mienne n'est pas fermée toutes les nuits. Les soirs où je monte me coucher avec les nerfs qui grouillent et le regret d'avoir changé de prison, je m'enferme à double tour : ça me console et me libère, de boucler moi-même la porte de ma geôle. Par contre, les soirs où le repas a été réussi, où les estomacs digérant ensemble les mêmes nourritures et les bruits mêlés — vaisselle de Nini, bando de Pierre —

ont mis sur la veillée une cordiale somnolence, je me contente de pousser la porte : s'ils vont au cabinet dans la nuit, peut-être remarqueront-ils, en passant, cette porte offerte, cet abandon, cette marque de délicatesse... Le lendemain, Nini me fait observer qu'à laisser ma porte entrebâillée comme ça, je vais faire jouer le bois, et le menuisier c'est vous qui allez le payer?

Donc, les soirs de sympathie, je ferme quand même le loquet.

Julien l'a tourné si légèrement que je ne me serais pas éveillée, si j'avais été endormie. Mais je ne dormais pas. Je ne dors jamais. Tout au moins, j'ai l'impression d'être trop vivante, lorsque Julien arrive, se couche et aussitôt s'évade : je voudrais être aussi fatiguée que lui et dormir à son côté, au lieu de tripoter dans son sommeil, de l'asticoter et de l'ennuyer :

— Mon loup, dit-il, pardonne-moi, je suis mort...

Je me renfrogne à l'extrême bord du lit, je fais semblant de dormir, en l'espérant... Ai-je donc tellement envie de cet homme? Il meuble ma désœuvre et ma douleur, il est ma joie, oui, mais... Si j'étais en mesure d'attendre autre chose, de jouir autrement, est-ce que, tout de même, je le choisirais?

Cette nuit, Julien est bien réveillé :

— La tête qu'elle va faire, demain matin! Bon, je descends à la cuisine, j'ai soif. Tu veux que je t'apporte quelque chose à boire?

— Oui, monte-moi un verre d'eau. Avec cinq fois plus de Ricard.

Les heures passent. Nus, sans gestes, noyés de tiédeur, nous respirons l'air épais qui coule à travers le store.

— Il y a des chemises à moi, ici? dit tout à coup Julien.

— Oui, je t'ai lavé et repassé tout le sac, cette semaine. Nini m'a dit que, puisque je me déclarais ta femme, je n'avais qu'à m'occuper de ton linge.

— Non, c'est pas vrai? Elle t'a fait bosser, avec ta patte?

— Je lave pas avec mes pieds. Laisse, ça m'amuse. J'étends à la fenêtre, ici, elle rouspète, que les voisins vont se demander qui habite la chambre, que ça ressemble à la zone, etc. Tu penses, le lendemain je recommence. Je grimpe sur le lavabo pour finir de le desceller, je tache leurs draps, bref j'essaie de leur rendre la vie impossible... Donnant, donnant. Julien, quand même, je voudrais bien me casser...

Julien m'explique qu'il est venu de bonne heure parce qu'il est arrivé une nouvelle salade, un type en cavale qui a débarqué chez sa mère pour demander qu'on le planque : il va essayer de le caser ici. Les chemises, c'est pour lui.

— Mais, déjà, pour moi, ils se sont fait tirer l'oreille...

— Boh! Si tu savais le nombre de mecs que je leur ai déjà amenés! Ils gueulent, mais l'amour du fric est le plus fort, ils finissent toujours par accepter.

96

— Et, comme femmes, qu'est-ce que tu leur présentes?

— Ah! Ils t'ont dit cela aussi. Je ne sais pas, je ne me rappelle pas. Anne, de toute façon, tu es seule pour moi. Ne crois que cela, je t'en prie : c'est toi, Anne, toi...

Je rentre mes questions. Je suis couchée, à l'emplacement de ces femmes, et c'est à moi, à moi seule que cette minute appartient. Si elles ont mendié, crié, ordonné, les aumônes, les complaisances et les soumissions sont parties avec elles, et c'est moi, moi... Demain... qu'importe demain? Demain ne naît pas encore.

— ... Alors, poursuit Julien, s'ils sont d'accord, je passe un coup de fil chez moi et le type radine pour les présentations.

— Ça veut dire que tu restes ici, oh, chic!

Demain peut naître, maintenant : je le connais. Julien aura son air soucieux, il restera près du téléphone, et son attention branchée bien étanche sur autre chose me laissera virevolter autour de lui sur mes béquilles, sans se laisser accrocher. Je serai la guitare, il me touchera avec une distraction douce et me reposera... Qu'est-ce qui pourrait bien empêcher Julien de penser à ce qu'il veut, ce qu'il veut étant encombré d'un tas de devoirs et de chevaleries?

Pierre ricane :

— La Saint Julien, c'est encore aujourd'hui?

Et Julien parle de satisfaction morale, Pierre fait

des calembours (c'est vrai qu'il en fait d'assez bons), t'as raison mais j'ai pas tort : ils n'essayent pas de se convaincre, ils s'exposent, des heures durant. Et nous, les femmes, nous écoutons en silence, Nini du haut de ses fourneaux, moi derrière ma cigarette.

Ça va être gai, le déjeuner! Et ce mec, ce...

— Comment s'appelle-t-il, ton pote?

— Il se fait appeler Pedro, ça va bien avec le personnage. Mais, pour l'instant, tu lui diras « Monsieur l'Abbé », comme tout le monde.

— Hein?

— Oui : avec l'avis de recherche qu'il a au cul, son mysticisme vasouillard et son vice naturel, il n'a rien trouvé de mieux que de s'habiller en cureton.

Le soir, nous dînons avec un séminariste à la soutane trop neuve. En arrivant, Pedro m'a dit :

— Ah, c'est vous Anne! Enchanté... Julien m'a beaucoup parlé de vous et de votre... accident. Comment va votre jambe?

— Bonjour, mon Père. Ça va mieux, merci.

J'ai répondu froidement : je ne veux pas établir une complicité de cavaleurs entre moi et ce Pedro aux yeux veloutés, qui s'exprime trop poliment et ressemble à une châtaigne luisante. Autant qu'on puisse en juger sous les méplats du vêtement ecclésiastique, il semble parfaitement musclé et structuré, avec cette mollesse, cette matité latines, que l'on retrouve dans son

98

accent et dans ses gestes : Pedro se dit truand du Midi, il arrive donc avec la rondeur assurée, le verbe abondant arrêté brusquement par des silences : mais la césure est trop nette, il manque les effilochures, les retouches des propos spontanés. Pedro s'applique à laisser entrevoir, mais je suppose qu'il n'y a en réalité pas grand' chose à découvrir : c'est un beau mec, un beau parleur, un beau montage. Défroqué et habillé en tout le monde, il doit néanmoins attirer l'attention, par excès de naturel. Même les poils de sa moustache ont l'air implantés.

Il couchera dans la chambre voisine de la mienne. En grappes bavardes, nous montons l'escalier; sur le palier, nous nous souhaitons le bonsoir. Mais comme la conversation n'en finit plus et que je n'ai à y apporter que des monosyllabes et des sourires subtils, je gagne ma piaule et je commence ma toilette.

Par égard pour Julien, il faut bien que je plaise à Pedro, que je me fasse belle, que j'affûte esprit et regard... je veux effacer ce qu'il sait et voit, les béquilles, l'impotence, l'empotée, la mineure... quoique, il ne doit pas être bien vieux non plus : vingt-quatre ans, vingt-cinq peut-être? Un môme, quoi. Après tout, il n'a sur moi d'autre avantage que de pouvoir marcher, et il n'en refuse pas pour autant de se laisser dépanner par Julien, chochotte, va!

Je m'enfourre dans le lit : tout à l'heure, Julien trouvera sa place façonnée et tiède, pendant que je glisserai vers le frais du drap. J'arrange mes mains sur un livre, je tire sur le corsage de ma vieille chemise de nuit.

Pedro entre avec Julien, en s'excusant copieusement :

— Deux mots encore, Anne, et je vous laisse...

Ils discutent devant l'armoire à glace, rapidement, sans former les mots : je les imagine sous le droguet pénal, parlant ainsi pendant l'heure de promenade quotidienne. Ils ne songent pas à s'asseoir, ils se prélassent dans leurs propos, allez-y, déambulez autour du lit pendant que vous y êtes! Je tourne avec intérêt les pages de mon bouquin, j'ai envie de le leur jeter à la figure : bon sang, ils ne se quitteront jamais?

Ce galant abbé, ce voyou à la manque!

Pourtant, le lendemain, nous nous attardons après le café, Pedro et moi. Nous avons décidé d'oublier nos études et nos bonnes familles; mais, pour nous faire apprécier, les autres motifs de gloriole étant tabou ou encore en latence, ce sont pourtant les premiers sujets que nous nous jetons aux oreilles.

Mimiques, citations, points de suspension. Pedro a laissé sa soutane à la patère : il est en short et maillot de corps, avec des chaussures de tennis; ce matin, avant le café, il s'est imposé une séance de réveil musculaire, le casseur doit être souple, suédoise ahanante

100

et soufflante suivie d'aspersions et d'ablutions dans le bac du lavoir.

Finies, mes vadrouilles en tenue d'Ève! Un Adam embaumé d'After Shave me chasse du seul paradis dont je disposais : le lavoir.

Pedro se lève et s'étire, sans fin :

— Bon, dit-il. Cet après-midi, je vais faire un tour dans la capitale : voir quelques amis. Vous n'avez besoin de rien, Anne?

Les mains à plat sur ses pectoraux, campé sur les colonnes parfaites de ses jambes, il est répugnant d'hygiène.

— Non, merci... Oh, si, rapportez les journaux, voulez-vous?

Pedro devient donc mon pourvoyeur en lectures. Il lit beaucoup lui-même, des livres assortis à son rôle : le Journal du voleur, des manuels de serrurerie; et, pour le métro, le Traité de Criminologie du Docteur Locard ou la Gazette du Palais.

Car, lassé des « Bonjour mon Père » abusés ou intentionnels, des places cédées avec déférence dans les transports en commun et de la moiteur des jupes longues, Pedro a repris la tenue civile et estivale.

Il est rentré plusieurs fois de suite au petit jour : ça a dû lui rapporter, car il change maintenant de liquette chaque matin. Chemise immaculée, costard gris souris et feutre assorti : malgré les lectures et le porte-documents, il ressemble à tout autre chose qu'à un habitué de la

Fac. Ses études ne transparaissent point; mais ses ténèbres sont claires, claires... Lorsqu'il n'est pas là, et même lorsqu'il y est, Pierre le charrie avec entrain :

— Tes limaces, les nuits de pleine lune, passe encore, mais cet hiver tu vas percer le brouillard. On s'éclaire avec sa chemise, on garde les mains libres!

Quelquefois, Julien lui téléphone et ils se retrouvent en de mystérieux rendez-vous. Ils reviennent ensemble, à l'aurore : j'accueille un homme aux yeux brillants de fatigue, le visage taché de transpiration sèche, de poussière et de barbe.

Pedro se dispense alors de sa gymnastique et dort jusqu'au dîner. Nous, nous bavardons, avec cette lucidité seconde née de l'épuisement : car je dors encore moins, ces nuits-là.

Quant à Pierre, il remise l'ironie et furette dans le butin. Pourtant, il pourrait rire sans trop me faire pouffer : Pedro a découché au lieu de coucher avec sa femme.

Moi, je suis tombée là-dessus par hasard; et ça m'ennuie un peu, comme lorsqu'en Centrale j'ouvrais joyeusement le verrou d'une cellule — pardon, d'une chambre — et que j'y surprenais deux filles qui s'y étaient fait enfermer par une troisième. Heureusement, ici, Pedro et Nini ne savent pas que je sais : ça ne change rien à mon ennui, mais ça leur permet de continuer à me manifester une cordialité ou une indifférence

102

sincères, au lieu de devoir me coudre et me sucrer la bouche.

Cet après-midi-là, la chaleur interdisait le bain de soleil avant trois ou quatre heures; Pedro, Nini et moi avions chipoté, au déjeuner, des choses fraîches, crues, colorées, évitant de boire et n'ayant qu'une hâte : le repos à l'ombre des stores, là-haut. Quelle bonne sieste j'avais faite, étalée sur le grand lit, un gant humide sur les orteils, le plâtre bien humecté d'eau de Cologne! A deux heures, j'avais eu envie de me baigner dans le lavoir, et j'avais redescendu l'escalier sur mes béquilles.

A force de manier mes bouts de bois, j'en ai fait deux vraies jambes, légères et feutrées; sur mes béquilles je danse, je virevolte, je me balance, comme ces polichinelles attachés entre deux montants de bois que l'on serre plus ou moins, pour faire tourner l'acrobate sur son fil. Je pose mes trois pieds, une, deux-trois, une, deux-trois, avec adresse et synchronisme; je descends l'escalier à toute allure, je lève les béquilles pour amorcer sur le talon le virage du palier, et je débouche dans la salle de bal. Une demi-cloison sépare celle-ci du bar; et, dans l'encoignure de cette cloison, il y a un divan, un relais où s'affalent les visiteurs, une escale où dorment ceux qui n'ont pas de chambre; on y fait la sieste ou la causette, on y empile le linge : ce divan est à lui seul toute une pièce.

J'arrivais donc, la béquille douce sur le plancher sonore. Lorsque j'atteignis le divan, Nini y dormait profondément, tournée vers le mur, le couvre-lit tiré jusque par-dessus les oreilles; et Pedro fouinait dans les Bottins empilés derrière le bar, en sifflotant, montrant un dos nu et sans défaut.

Il poussa le portillon et vint vers moi, le short et les bras poussiéreux :

— J'abandonne, je chercherai ce numéro à la poste. C'est vraiment trop dégueulasse, ici.

— Oh! vous savez, dis-je avec candeur, l'envers des coulisses, c'est toujours dégueulasse... Et nous vivons dans une grande coulisse, vous et moi surtout, n'est-ce pas?

Pedro ramassa sa chemisette, jetée sur la machine à coudre, à cinquante centimètres du pied du lit; et, sans un regard pour Nini toujours momifiée sous la berlue, il sortit sur la terrasse.

Je me sauvai vers le robinet du lavoir et son avalanche de petites pierres pures : quel courage, ces deux-là, par cette canicule!...

Je n'en ai pas parlé la première, Julien non plus : nous en avons parlé au même moment, et instantanément nous sommes noyés dans le même fou rire. Enfin, Julien dit :

— Eh bien, il est gonflé! Je le planque, je douille les premiers frais, je lui serine sa leçon... Et lui, au lieu de décarrer dès que renfloué, il s'installe! Il plante sa poupée!

104

— Mais chou, il est désœuvré... Il ne peut pas aller au boulot tout seul, il faut que tu le prennes par la main : ses sorties nocturnes, je suis sûre que c'est du bidon comme tout le reste.

— « Tu veux de l'osier? Eh bien, grimpe! » Penses-tu, il faut que je le pousse et que je le tire. Si tu n'as jamais vu un mec avoir le trac... Par contre, pour les courettes, là, c'est un champion, un Mimoun.

Julien m'explique que Pedro lui a donné cinquante sacs sur une des dernières rentrées « pour contribuer à mes frais d'hôpital »; que d'autre part, il envisage de me descendre discrètement à mon départ d'ici, afin d'assurer par mon silence définitif la sécurité de ses hôtes, ou plus exactement de sa placarde.

— Couché, nourri, baisé : ça vaut bien la peau d'une môme comme moi, bien sûr. Mais ce n'est pas logique : pourquoi prendre la peine de me buter, puisque je n'existe déjà pas?

... Ensuite, il a proposé à Julien, en grand seigneur, le partage de Nini :

— Pour que je n'aie rien à lui envier, sans doute, dit Julien. Pour changer, un de ces jours il va se mettre à te faire du gringue : tu verras, il y viendra aussi. Désœuvré, tu dis? Mais non, il n'a pas assez de temps pour gamberger ses saloperies, il en rêve la nuit. Mais fais gaffe, Anne : fais gaffe à Pedro, il peut être très, très dangereux.

105

— Qu'il aille essayer ses clés dans le portail! Oui, ces clés brutes qu'il lime des journées entières sur l'établi de Pierre. Qu'il les essaye sur Nini, sur n'importe qui, mais qu'il ne s'avise pas de m'ouvrir, moi.

Il s'y avise bientôt, pourtant.

Il rôde, comme un grand loup correct et bien nourri; patiemment, il sème dans son sillage de petits cailloux, qu'il estime propres à m'intriguer ou à m'exciter : des accessoires intimes qu'il oublie çà et là, des chemises qu'il me prie, « oh, juste un peu le col et les poignets », de vouloir bien lui laver.

Je tortille son nylon, je renifle son eau de toilette, j'accepte ses madrigaux : je n'ai pas tellement de distractions.

Il dit « la Femme » avec la dévotion d'un troubadour oriental :

— Mais Anne, ce n'est pas une femme, c'est un petit homme! Pas vrai, Anne? Un petit homme très bien déguisé... Vous devez avoir une bien jolie poitrine. Non?

Discussion « camarade » : le regard de Pedro sur mon décolleté est tout à fait fraternel, respectueusement charmé. Impassible, Nini débarrasse la table. Ses gestes nets et vifs désapprouvent notre inertie, la nonchalance digestive qui nous affale sur nos chaises, le dos bien appuyé, l'estomac offert, les jambes étendues et mortes. A mesure que disparaissent les assiettes et les détritus, le cendrier posé entre Pedro et moi semble prendre du volume :

106

sur le marbre de la table, il se détache comme un péché. Nini a fini d'ôter le couvert : la main sur un chiffon humide, elle s'attaque aux miettes et aux auréoles, barbouillant la table de larges ellipses savonneuses. Elle se penche un peu plus, frotte nos emplacements, soulève le cendrier qu'elle va vider dans la poubelle; elle le replace, nettoyé, irréprochablement équidistant entre Pedro et moi. Voir si on va rester là, à l'encombrer de mégots et à encombrer la cuisine tout l'après-midi. Néanmoins, bonne hôtesse, bonne boniche, elle persiste à se taire, sourit aux asticotages de Pedro, reste automatique et active.

Je me demande soudain si, au temps de la guinguette, elle n'arrondissait pas un peu son ventre à pourboires — en service commandé, bien sûr.

Elle dit, sans me regarder :

— A vingt ans, c'est normal d'avoir une belle poitrine. Et surtout quand on n'a pas eu de gosses.

Nini n'a pas eu de gosses, mais je ne pense pas qu'elle ait jamais eu de poitrine pour autant. Comment Pedro peut-il s'appliquer sans répulsion contre le thorax aride de cette fille?

— Si vous voulez, dis-je avec dédain, j'enlève mon soutien-gorge, comme ça vous pourrez mieux juger.

Pour finir, Pedro demande à Nini d'apporter une bouteille de champagne.

— Vous n'êtes pas bien? Pour quoi faire, du champagne?

— Pour en boire, explique Pedro. On a beaucoup bavardé, cela donne soif. Qu'en pensez-vous, Anne?

Moi, pour écluser, toujours d'accord. Nini accepte d'ouvrir le frigo : elle comptera ça sur la facture de Pedro, et après tout le client est roi. Si ça plaît à ces monsieur-dame de se cuiter à cette heure-ci et par cette chaleur... Avec sévérité, elle pose sur la table la bouteille et deux coupes, puis retourne à sa vaisselle.

— Oh, oh, Nini! fait Pedro.

Ce « oh, oh » imité du méridional qui me crispe et me bouscule, cette bourrade dont Pedro ponctue tous ses propos... « Oh! Hé! Té! Vé! »

— Elle est fâchée, Nini? Allez, faites-nous votre beau sourire. Sortez un verre et venez trinquer.

— Moi, boire?... Vous savez bien que je ne bois pas. Ça m'est défendu : mon cœur...

Ce sang éparpillé dans les fibrilles de ses pommettes, que je croyais être de la lie de vin, c'est donc du cœur émulsionné. Pedro, vous n'allez pas faire du mal au petit cœur de Nini, quand même? Buvons tous deux : moi, mon cœur peut pétiller sans risque.

— Anne, Anne, vous avez trop de tête.

— Quand on n'a pas de jambes!

Pedro masturbe avec patience le bouchon, qui commence à s'échapper lentement; poum, il va se perdre dans la verrière; et le flot doré, promptement canalisé vers la coupe d'un tour de poignet, bouillonne à tout

108

petit bruit. C'est ce rite que j'aime, plus que le goût pâle et les bulles dans le nez. Coupe après coupe, nous vidons la bouteille; Nini, dégoûtée, s'est éclipsée dans les étages.

A mesure que le champe chauffe mes membres, ma tête refroidit, et la tête de Pedro s'éloigne, se met à flotter; bientôt Pedro tout entier n'a plus aucune consistance, aucune importance : il peut bien parler et bouger, il ne me gêne pas, mais pas du tout.

J'ai ressoudé mon cercle, j'y suis seule, bien centrée, les tangentes alentour frappent et s'embrouillent, je les laisse fuir et se perdre, je m'en fous. J'entends, je comprends, je réponds, ma voix gargouille peut-être un peu, mais ma pensée s'unifie, se dépouille; tout tourne autour d'une phrase, unique, fixe, une phrase que je regarde, un repère, une rampe :

— Mais fais gaffe, Anne...

Oui, Julien, te bile pas : la plaisanterie s'achève.

— Si vous voulez me passer mes jambes, Pedro? Je suis absolument incapable d'aller à cloche-pied jusqu'au mur. J'ai pris une biture sur votre pécule, la prochaine sera pour moi... Pour l'instant, je crois que le mieux, c'est d'aller récupérer celle-ci au lit.

— Venez, Anne, je vous porte...

— Et vous me faites franchir le seuil... Non, merci. Passez-moi mes bidules, je me débrouillerai bien pour regagner *mon* lit.

Sur le divan-escale, je fais halte... et j'y reste. Entre les fentes de mes paupières, dans un brouillard doré, je vois Pedro qui passe et repasse devant le lit. Mais par égard pour Nini peut-être, il ne tente pas de s'y arrêter.

Chapitre huit

Julien m'enlève aujourd'hui.

Dans la chambre vidée, agrandie, sans cesse nous cherchons des objets, à leur place qu'on atteignait les yeux fermés ou la lampe éteinte; puis, nous nous rappelons :
— Ah, zut, j'ai mis les affaires de toilette au fond du sac. Prête-moi ton peigne.

Nini ne trouvera pas un mégot, pas un atome de cendre : le cendrier est lavé, et j'ai traîné sous le lit, au bout de ma béquille, un chiffon que j'ai dissimulé au fond de la poubelle.

111

On se sent sortir de taule. Julien refait l'inspection de l'armoire, donne un coup de pied dans les bagages :

— Je vais descendre ça, et en même temps chopper le Pierre pour qu'il me rende mes bricoles, outils, linge... Comme il fera chaud avant que je remette les lattes ici...

— Ne prends pas les limes de Pedro, dis-je.

— Oh! lui, qu'il crève. Tu aurais été juste un peu plus cavette, et j'arrivais en pleine partouze. Allez viens, ma poule, on les met.

A l'heure du goûter, nous sommes encore là, autour de la table de marbre. Pierre est cordial, deux notes au-dessus du ton : depuis qu'il a rendu ses affaires à Julien, il sait que les oiseaux s'envolent pour de bon.

— Nini, lorsque la môme devra faire retirer son plâtre, je passerai te prendre, ça fera mieux que sa sœur l'accompagne. L'affaire de quelques heures.

— C'est ça, c'est ça, Julien, dit Nini, empressée. Vous pouvez même venir la veille et coucher ici pour être sur place, pas vrai, Pierre? La porte vous sera toujours ouverte...

« C'est possible », « on verra » : Julien manie la scie avec délicatesse. Mais il n'oublie pas comment il m'a trouvée hier après-midi : j'étais bouclée à double tour, recroquevillée dans le fauteuil autour de ma rage, me désennuyant à gamberger un plan de cavale fou et précis. Aussitôt, il est reparti achever les travaux d'approche chez mon nouveau recéleur. Je suis attendue, je ne sais pas encore par qui, mais je sais où : à Paris.

112

Je reviens, Paris, bien avant l'heure. Fallait pas pleurer, tu avais raison, Cine.

Dans le taxi, Julien m'explique que ma nouvelle hôtesse est « une ancienne prostituée, son homme est à la Santé et elle vit seule avec sa petite fille ».

Annie, ex-putain... Matronne? Poupée? J'ai un peu le trac.

Non : elle n'est ni l'une ni l'autre. Elle est laide, d'une laideur nette, anguleuse, soignée; la tête est un peu chevaline, le corps bringuebale dans un peignoir à fanfreluches bon marché; les pieds sont longs dans les mules, les jambes se devinent élégantes. Elle est aussi grande que Julien, et Julien se tasse : il faut bien avoir l'air confus, le colis devient de plus en plus encombrant. Je n'ai pas franchi la porte d'Annie comme une mariée légère et déjà blessée : j'ai monté l'escalier toute seule, sur mes trois pattes, m'appliquant à ne pas rater les marches inconnues et plongées dans la pénombre, suivant Julien qui portait les valises. Maintenant, mes bagages sont posés devant la cuisinière, encombrant le passage; nous sommes debout, énormes dans cette pièce toute petite.

— Tenez, Anne, dit Annie, prenez le fauteuil, vous serez mieux. Vous voulez un tabouret, pour mettre votre jambe? Mais asseyez-vous, Julien! Mince, on dirait que vous ne connaissez pas la maison... Excusez-moi, je n'ai pas d'apéritif, je vais envoyer Nounouche. Nounouche! appelle-t-elle, penchée à la fenêtre, le buste dehors, à toucher l'arbre, le grand arbre qui a poussé, comme une explosion, dans cette cour d'immeuble grise et asphyxiée.

Nounouche ne répond pas.

— Encore partie traîner sur le boulevard, dit sa mère.

Julien fouille dans le sac de plage et en tire une bouteille, mon amie des nuits :

— La môme n'a que du cognac, mais il n'est que cinq heures, après tout.

Annie sort des verres, on trinque, puis elle me fait visiter l'appartement : on va vivre en petite largeur, il n'y a que deux pièces. Peut-être l'exiguïté aidera-t-elle à sympathiser mieux que le désert de la guinguette...

— Vous coucherez dans le lit de Nounouche, elle dormira avec moi. Pour vos affaires, je vous ai débarrassé une étagère de l'armoire, installez-vous tranquillement.

Assise sur le lit d'enfant séparé du lit conjugal par trente centimètres de ruelle, je laisse déferler la chaleur et la nonchalance, avant de sourire et de me ramasser. L'armoire touche le pied de mon lit, la fenêtre touche l'armoire, et pour regarder dans la cour il faut s'aplatir entre l'armoire et la table. Je renifle Paris, je me planque en son cœur, je suis revenue. Vaincue, cassée, je suis là quand même; d'ailleurs, comme nous disions souvent à la taule, le vainqueur c'est celui qui se casse. Je reviens, Paris, avec les décombres de moi-même, pour recommencer à vivre et à me battre.

Un certain désordre, intime, familial, les jouets et les

114

souliers de Nounouche, les vêtements jetés, lie les meubles et les objets.

Je vide la valise sur l'étagère, puis je regagne l'autre pièce, en be-bopant : ici, il n'y a pas d'espace angoissant, il suffit de s'accrocher et de se haler, je ne prendrai les béquilles que pour sortir. Annie et Julien bavardent; moi, je me poste sur le rebord de la fenêtre, le nez dans l'arbre : la cour va et vient, jacasse, des enfants courent, des marelles sont tracées; du linge sèche, bariolant et aveuglant les fenêtres.

Cette fois, je serai la petite nièce d'Annie, venue me reposer chez elle après un accident de voiture. Je viens de «la province», c'est grand et vague, ça n'intéresse pas les Parisiens.

— ... d'ailleurs, dit Annie, je ne voisine guère. Pour mon mari, on sait ou on ne sait pas, je m'en fous : bonjour, bonsoir. Il y a la mère Villon, au fond du couloir : elle fait de la confection à domicile — le sur-mesure aussi, ça dépend de l'offre. Comme ses mômes vont en classe avec la mienne, bien obligée de lui allonger une petite visite de temps en temps. Ou alors, c'est elle qui vient avec son mari, le dimanche, faire une belote; mais à part ça... depuis que je suis seule, je ne bouge plus de la maison, ça me dégoûte de sortir. Le marché, le parloir le samedi, livrer mes cravates, et c'est tout.

Ses cravates?...

Tout en parlant, Annie reprend son travail : elle happe

une cravate sur le dossier de sa chaise, derrière elle, et un molleton dans le paquet niché contre son ventre; elle coince la cravate sous son genou, plié ferme; et, à grands points de faufil, sa grosse aiguille court d'un bout à l'autre de la cravate, fixant le molleton au passage. Annie arrête le fil, ouvre le genou, libérant la cravate qui tombe à terre, réenfile l'aiguille, attrape la pièce suivante... Je me demande combien d'heures de cravate il lui faut accomplir pour gagner l'équivalent de dix minutes de son ex-profession. Julien m'a parlé de certain pari de fidélité... mais quand même, cet honnête boulot ne cadre pas du tout avec les propos qu'elle tient et le genre qu'elle garde. Enfin... je réserve mes observations et je déclare à Annie que je suis ravie de l'avoir pour tante. Elle rigole, et continue à cravater sans trêve, reprenant après chaque point d'arrêt et avant l'enfilage suivant sa cigarette, posée sur la grosse boîte d'allumettes à côté du paquet, du cendrier, des ciseaux, du verre : le petit attirail nécessaire. Et la mule avance sur l'escabeau, déplaçant le genou, la cravate tombe, le tas monte... J'ai le vertige, j'ai honte de mon inaction :

— Je peux vous aider?

— Tu vois, dit Julien, le pouvoir de l'exemple! Tu embauches, Annie?

— J'embauche, je débauche... Voyez : maintenant, il faut les retourner sur l'endroit — avec cette tringle, là. Après, je les attache par douze, je les mets en valise...

116

— Sans les repasser?

— Avant de les coudre, je file un coup sur les coutures du collier pour les aplatir, mais le repassage de finition, c'est le rayon de mon beau-frère. Oui, je bosse entre deux parents! La sœur de mon mari fait les coutures et les ourlets à la machine, je les couds, je les leur rends, ils les terminent. Bien sûr, eux, ça leur rapporte beaucoup plus qu'à moi. Ah! Si j'avais une machine et que je puisse me mettre à mon compte...

(Julien, « trouve » donc une machine!)

Jusqu'au dîner, nous faisons des projets aimables et inconsistants, associés autour d'une pile de cravates inachevées. Annie est exploitée par sa belle-famille, c'est clair; elle peut avoir bonne conscience pour le reste, en admettant qu'il y ait un reste... Chut, Anne, ne commence pas à supposer.

— ... surtout qu'ils en prennent de plus en plus à leur aise, poursuit Annie. Ils me disent d'apporter la livraison à trois heures, par exemple, et ils s'amènent à cinq, et moi je me fais tartir dans ce rade à boire des Ricard... A propos, je descends en chercher, j'en profiterai pour récupérer Nounouche. Qu'est-ce que vous voulez, il faut bien qu'elle joue, et ici, pour une gosse, c'est étroit.

Elle passe dans la chambre et revient, vêtue d'une robe. Elle rince un verre avec l'eau du pichet posé sur le buffet, jette l'eau par la fenêtre, prend son porte-monnaie dans le tiroir. Julien l'arrête :

117

— Mais, puisque de toute façon Anne se baladera dans le quartier, pourquoi ne pas descendre tous les trois au bar?

— Non, une autre fois... Ici, on est plus tranquilles. Les soirs où c'est trop calme, je monte un peu le poste : comme ça, pour écouter aux portes, tintin. Le bar, ça va quand on n'a rien à se bonnir.

A se bonnir!...

— Elle a l'air bien, dis-je à Julien dès que nous sommes seuls. Ça me plaît, ici : je crois que ça ira... C'est sûrement une brave fille, et... Bon Dieu! Quatre ans, son Jules? Je la plains. Combien lui reste-t-il à faire?

— Il doit attaquer sa troisième année. Mais... ne t'emballe pas : Annie est très brave, comme tu dis, mais elle est surtout très forte. Alors, continue à jouer au con, tu ne vois rien, tu ne sais rien. Elle est douillée pour deux mois : bouffe et ne te casse pas la tête. Elle va te raconter des histoires, vraies ou fausses : crois-les toutes. Et... ne cavale quand même pas trop dans Paris.

— Je ferai des cravates toute la journée, promis. Il n'y a pas l'air d'y avoir grand'chose d'autre à faire... Ce qui m'intimide le plus, c'est la gosse!

La porte se rouvre et un petit cataclysme blond fonce vers nous. Arrivée devant le buffet, Nounouche freine et s'écrie :

— Tiens, Julien! Comment ça va?

Nounouche doit avoir sept ou huit ans. Elle est montée

en graine, d'une pâleur piquetée de son et de rose, le pinceau d'une queue de cheval balaie ses épaules : elle a l'air d'un abricot vert, attiédi par le soleil de Paris. Elle s'exprime avec netteté et compétence, tutoie tout le monde, elle est gracieuse et charmeuse, déjà féminine : elle a escaladé les genoux de Julien et lui parle gravement, nichée comme une amoureuse contre son veston.

Annie rentre, portant le verre plein de pastis :

— Nounouche, descends de là, tu embêtes. Va chercher de l'eau fraîche au palier.

— Non.

— Si.

— Alors, je boirai avec vous.

— Mais oui, mais oui, fait Annie.

J'entends couler la fontaine du palier : il n'y a pas l'eau courante dans le logement. On se lave et on fait la tambouille dans une cuisine-placard; Annie me montre le seau, la cuvette, l'endroit où je pourrai mettre mes affaires de toilette :

— Et quand vous vous lavez, fermez le verrou, parce qu'avec ma fille...

J'ai l'impression qu'il va falloir se la farcir, l'abricotine.

Chapitre neuf

En une semaine, j'ai épuisé tous les Intimité et Nous deux de la bibliothèque d'Annie, et si j'ai lu des Confidences, j'en ai entendu aussi. Je ne suis décidément pas douée pour les cravates, et Annie ne veut rien savoir pour que je l'aide à la lessive ni à la cuisine :

— Avec votre jambe, vous n'y pensez pas!

Alors, je me promène sur le boulevard. Je vais, traînant mon pied comme une tortue sa guitoune, avec la même lenteur méthodique. L'été fait trembler l'ombre

121

des marronniers; au bout, là-bas, l'oasis du carrefour. Je ne l'atteins pas : je fais demi-tour et je rentre docilement, à l'heure dite. L'œil de ma conscience est un cadran de montre. Qu'Annie rentre de ses livraisons avec une ou deux heures de retard, ça la regarde; mais moi... Je suis encore sous le règne de l'horloge, l'horloge des autres qui ont peur de mes absences, l'horloge invisible des prisons qui vous regarde et vous ramène; et puis, chez Annie, j'ai moins envie de fuir.

— Encore un peu de vin, Anne? Vous savez, c'est du 10, on ne risque pas grand'chose...

Après le dessert du soir, nous bavardons jusqu'à la fin du litre. Annie et moi : deux femmes, privées d'amour et de splendeur : je ne peux pas, elle ne veut plus. Tout le jour, nous sommes accolées, liées par la similitude des gestes, des menus, des douleurs de femme, par les aiguilles qui s'activent en même temps, la sienne vers la gauche, la mienne vers la droite : nos chaises se font face et je suis gauchère, nous nous reflétons. On coud, on fume, on chantonne; de temps en temps, on se sourit, en soupirant... Mais c'est à la veillée que nous devenons tout à fait intimes. La camaraderie d'atelier est alors reléguée, ficelée à la douzaine parmi les cravates, serrée dans la valise du devoir; et l'intimité se tisse, volute à volute, verre à verre, à travers la table où nous présidons, parmi les fleurs de la toile cirée et l'empilement des assiettes.

Nounouche fait la liaison, grimpe sur nos jambes,

122

nettoie les miettes et le cendrier, bourdonne sur nos chuchotis.

— Allons, Nounouche, au lit! dit Annie sans conviction, au bout de chaque quart d'heure passé huit heures.

Devant cette minuscule écouteuse, il importe de parler inintelligible : Annie entend que sa fille « reste une petite fille », lui parle du Papa Noël, de choux et de roses; elle a failli se battre avec Madame Villon lorsque celle-ci, voulant entreprendre l'éducation sexuelle de Nounouche en même temps que celle de ses filles, lui a montré des images dans le Larousse médical; mais elle ne voit aucun inconvénient à la laisser debout avec nous jusqu'à minuit : elle dormira demain matin. Quand elle ira à l'école... D'ailleurs, que voulez-vous qu'elle comprenne, voyons! Ton père est à l'hôpital comme tu peux le constater chaque samedi, il faut croire ta mère et rien qu'elle, et si les voisins te disent quelque chose tu n'as qu'à leur répondre qu'ils sont des caves et que nous, on est des truands.

Telle est la pédagogie d'Annie. J'y admire surtout l'infaillibilité et l'autorité certaine qu'elle s'attribue, envers et contre tout ce que Nounouche observe, entend et enregistre.

— Attention, Anne, me dit Nounouche. Ton mari ira à l'hôpital, lui aussi, s'il fait des bêtises. Enfin, ton mari... tu penses! A ton âge!...

Et lorsque je réussis une cravate :

— Hein, maman? C'est pas mal, pour son âge?

Impossible de lui faire admettre que je ne suis pas une gosse comme elle; il faut que j'embrasse le nounours chaque soir, et que je mange entre les repas dans ses dînettes. L'ours a franchi, à l'envers et à l'endroit, la porte de la Santé; la dînette a peut-être croisé, dans les couloirs de la grande prison, d'autres ferrailles, gamelles ou clés : le samedi, Nounouche accompagne sa mère au chevet du cher papa patient, et elle ne manque jamais d'emporter l'un ou l'autre de ses jouets, pour que papa, de derrière sa grille, puisse jouer une demi-heure.

Je n'aime pas les accompagner; ce n'est pas que j'aie le trac, mais le parloir est le seul moment de la semaine où la baraque m'appartient. Sans but, sans curiosité même, je fourrage partout, pour compenser les six autres jours de « Puis-je, Annie... »; je me lave la tête; je peux me regarder à la glace depuis la porte du cagibi, ouverte en direct sur celles de la chambre et de l'armoire : redevenue Ève, vêtue du seul turban après-shampooing, j'évolue dans un désert semé de cravates et de jouets. Pour prouver ma gentillesse et effacer mes découvertes — honte du linge sale fourré en boule entre l'étagère du réchaud à gaz et le compteur, tristesse d'un bout de gruyère oublié depuis des mois au fond du buffet —, j'astique le plancher et le cul des casseroles; je range, sans trop empiéter sur le fouillis, me contentant de lui donner un aspect plus géométrique; et, pour traduire mon impatience de les revoir, je descends prendre des bonbons chez l'épicier, deux doubles Ricards au bistrot, et je leur dresse un accueil. J'aimerais bien, tout de même, aller un de ces jours patienter une demi-heure « Chez Marcel », rue de la Santé, en face de la taule. Les visages de ce rade appartiennent à des amis non admis au parloir, des amis des parents du détenu ; les colis et les valises amoncelés dans tous les coins sont destinés aux prisonniers ou viennent d'eux : ils charrient leur crasse ou leur linge propre, ils recèlent peut-être la lime ou le bifton pour la cavale du siècle... Non : chez Marcel, tout visage est honnête, tout trafic aussi.

Je regarderais entrer et sortir les gens et les bagages, propres et joyeux, sales et sanglotants ; et le spectacle des coulisses de la grande geôle saurait m'émouvoir, comme lorsque je tripote les chemises vides de Julien.

Les beaux-parents d'Annie ont également droit de visite et n'en démordent point : le frère et l'époux reçoivent donc ensemble, puisque le détenu qui les cumule n'a droit qu'à une visite par semaine. L'épouse, la sœur, le beau-frère : je n'entends qu'un son de cloche — Annie —, mais je suppose que l'autre doit carillonner avec la même ardeur des vérités et des mensonges contradictoires. Le devoir fraternel, l'anathème fraternel, la haine fraternelle... Mais, pour trimbaler jusqu'à l'homme qui les suscite ces divers sentiments, il n'y a qu'un moyen de locomotion : la voiture du beau-frère.

Le samedi, vers une heure, c'est moi qui prépare le café familial : Annie, de peur de se défraîchir, ne touchera plus à rien jusqu'au retour du parloir. Depuis le matin, heure par heure, j'ai vu surgir du peignoir et des bigoudis la fille de joie : de maigres, ses jambes deviennent spirituelles, par la cambrure du très haut talon, le fendu de la jupe entravée; la basque du tailleur arrondit les hanches, coupe la ligne anguleuse des fesses et des iliaques. Les cheveux se mettent à bouffer et à reluire, la bouche rosit et gonfle, amenuisant les dents; à petits coups rapides de brosse à rimmel, les yeux s'ourlent d'une herbe langoureuse.

Le beau-frère ne modifie pas pour autant son répertoire de plaisanteries galantes : s'il en remet, c'est à moi que revient l'excédent. Il ne me fait pas de gringue, il a conscience de sa masse autant que du respect dû aux belles-nièces; mais ses yeux papillotent sur des pensées lourdes et schématiques. Des yeux noirs comme du café, resserrés par les loupes énormes de ses verres de myope, lointains, très beaux. Heureux que les lunettes les cachent un peu, ils ne vont pas avec le reste : un nez de poupée écrasé entre des joues fessues, du graillon partout, des mains velues, le beauf' est un bœuf, une limace géante, une otarie nageant dans une mer de Pernod. Annie me dit :

— Beuh, il parle, il parle, mais c'est tout ce qu'il peut faire. Après l'arrestation de Dédé, je ne pouvais pas

126

revenir ici tout de suite : on avait mis les scellés et puis, j'aimais mieux attendre qu'on nous oublie un peu... Alors, j'ai été passer quelques semaines chez eux. Eh bien, ma pauvre...

Au cours de sa cohabitation, Annie a vu des choses peu reluisantes : lui, « faudrait une pince à escargots », elle, elle a des incontinences et se garnit toute l'année; quant à leur fille, Pat, elle est à moitié crevée au boulot et a, à vingt ans, la poitrine fanée et le dos rond.

C'est la famille, le lien, le boulet; mais enfin, il faut bien vivre.

Moi, je suis rétribuée aussi : aussi peu et aussi mal que je couse, je gagne de quoi payer ma tournée. J'achète également quelques fringues, envoyant à mesure celles de Ginette aux chiffons.

— Héhé! On se soûle mais on se nippe! s'écrie la belle-sœur.

Abandonnant nos peignoirs économiques, nous avons fait une toilette presque aussi somptueuse que celle des samedis, pour nous rendre au déjeuner familial. On nous invite chaque semaine, nous acceptons une fois sur trois : convention.

Leur pavillon est situé aux limites du macadam parisien, là où commencent la boue et les petits jardins anémiés : nous devons prendre des bus, changer, marcher dans des rues bordées de pieux, de barricades, de grillages; ma jambe tiraille, Annie sautille sur ses échasses, Nounouche

traîne ses souliers au fond du caniveau en geignant :
« Alors, m'man? On arrive? »

On arrive : le pavillon est tout en boiseries blanches
percées de baies, vrillées d'escaliers légers bouclant d'étage
à étage; l'intérieur est un lacis, une forêt de cravates. Les
cravates ont bâti les murs, gain à gain, nuit blanche après
jour gris où toute la famille, entassée dans un deux-pièces
du quartier du Temple, coupait, cousait, repassait et
retournait, piquait et attachait sans trêve; les cravates ont
suivi le déménagement et tout de suite repris leurs droits.
Ici, elles font office de tapisserie, de coussins, de bibelots.
Elles n'ont épargné que la cuisine : les impératifs de la
famille sont, à égalité, bosser et bouffer. Toutes les pièces
ne sont pas encore aménagées : en allant me laver les
mains dans l'embryon de salle de bains, je remarque le
bidet, qui a été livré entouré de bandelettes de papier
gris et reste, ainsi momifié, dans un recoin.

Ces dimanches où je suis en quarantaine, malgré le
miel cordial de la gent cravatière, je joue avec Nounouche
dans le jardinet, je ne parle pas, je m'ennuie. Je suis étrangère à leur passé, leur présent et leur avenir; Annie et moi,
entrepreneuses en cravates, en attendant que Dédé, libéré,
reprenne du service dans le Bâtiment et construise deux
résidences jumelles pour abriter nos deux couples, ouais,
ces épures-là meublent nos soirées, mais ici... que dire?
Ce dimanche existe, gris et bavard : il faut le tirer comme
ceux de la Centrale, bouche close et souriante, oreille

ouverte et complaisante; à la différence qu'ici, le poulet au riz, aux poivrons, aux pois ou aux pommes remplace le bœuf, mode, bourguignon, en daube ou en hachis.

Le Pernod, la fumée, le poulet, les voix, tout se mélange et pèse sur mon cœur, je suis seule, lourde, loin. Quand marcherai-je, pour m'éloigner définitivement de ces gens? Ma présence ne les gêne pas : Julien s'en assure, re-paye un bout de pension et s'en va. Je cache mon ingratitude, ma rogne, ma déception constante : comme je préférais mes voyous de la Série Noire! Depuis mon évasion, je ne côtoie que des ex-taulards, des repris et non-repris de justice; bien sûr, en prélude à mes retrouvailles avec Rolande, je n'avais pas l'intention de fréquenter d'autre monde, je rêvais de mauvaises relations, de mauvais coups, d'un tas de mauvaises choses à lui étaler; mais mes rêves s'effritent, l'été décroît, Rolande s'irréalise... Bonjour, c'est moi : tu voix, je suis venue. Que peux-tu, que veux-tu faire avec moi, demain, lorsque nous aurons mangé, bu, bavardé et dormi ensemble? Crois-tu que je me soucie encore de pèleriner aux sources de ton derrière, main-tenant que d'autres moyens de jouir et de pleurer me sont revenus? Entre toi et moi, à chaque seconde, le temps monte son mur; je reste dans la nuit, mais s'il y a quelque part une aurore et que j'en découvre le chemin, j'y marcherai sans m'appuyer à toi, Rolande, Rolande de merde que c'est ta faute si j'ai la patte esquintée, oui : je me serais tirée de toute façon, j'aurais rencontré Julien

129

quand même, et je ne serais pas obligée aujourd'hui de penser à toi, ma douce, avec la reconnaissance et la rancœur du ventre. Je ne sais pas si je goûte encore les femmes et si je dédaigne toujours les hommes; mais l'homme à goûter, la femme à dédaigner, je sais leurs noms... Julien... mais... je t'aime!...

Julien, je ne veux pas galvauder les mots, je me ferme la bouche de tes baisers; mais je comprends que l'heure est venue, que je ne peux plus gambader dans les traverses, qu'il va falloir me jeter sur une voie unique, oh, Rolande, Julien, je m'écartèle...

A la Centrale, nous partagions les dimanches entre la danse et la belote. Les cartes étaient ma pénitence : une fois l'atout retourné, la partie ne m'intéressait plus. J'observais le jeu des mains, leur grâce ou leur lourdeur à balancer les cartes, l'expression surprise ou impassible des yeux. Pourtant, j'aimais bien l'as de trèfle, « le triomphe » en langage cartomancien : deux ou trois herbes à vache retournées le même jour nous faisaient augurer de toutes les réussites... Oui, il était temps que je me casse : le trèfle, la benzine, le poison des rêves tordus, l'onanisme et toute la taule me menaient tout droit à Sainte-Anne. Je me casse, chaque jour plus loin, de la folie...

Annie possède trois jeux de cartes, dont deux vieux et dépareillés pour les belotes que Nounouche tape avec ses poupées le dimanche, entre les pieds des grands qui

130

jouent, plus haut, sur la table; y voler l'as de trèfle ne nuira pas beaucoup à l'intelligence du jeu, Nounouche joue à la mimique plus qu'à la tout-atout. Je mettrai le Triomphe dans une enveloppe et je l'enverrai à Rolande. Si elle vient au rancart quand même, tant pis : j'aurai prévenu. Si je suis un peu vaseuse ce soir-là, ce sera simplement parce que la date choisie était aussi celle de mon anniversaire. Vingt ans, une décennie neuve, mon cadeau triste, et la certitude de retourner en passer une partie en taule : le reliquat de cette peine que j'interrompais pour toi, mon cadeau refusé!

— Dis Julien, tu viendras, pour mes vingt piges?

— Si je peux, volontiers : on ira dîner quelque part...

— Bah, Annie peut bien nous faire à bouffer. Il faudrait l'inviter aussi et, pour sortir, je préfère être seule avec toi.

On commence à dessiner mon avenir : durer, d'abord. Julien m'assurera la matérielle, je ne me mouillerai pas, non, promis... Je rumine, malheureuse : j'en ai marre d'accepter. Comme Annie est mon fisc et que je ne veux pas l'aigrir par des signes extérieurs de richesse, si Julien me donne dix sacs j'en déclare cinq et j'en fais tomber deux et demi dans sa tirelire, pour les Ricard et les bonbons de Nounouche. Plus tard, quand je marcherai mieux...

Mais c'est donc vrai que je marche si mal?...

On a ôté mon plâtre, en deux temps. Au premier contrôle, j'avais emporté les baskets et une Velpeau de force; je

131

me voyais, tâtonnante, au bras de Julien, comme une nouvelle petite amie; je « déroulais » mon pied en rêve, mimant la marche au long des nuits, poussant le drap avec les orteils; pour activer, j'avais même enlevé ma botte la veille de la visite.

J'empruntai les ciseaux à cravates, les grands,' et je me mis à cisailler, sous la rotule : j'allais couper le plâtre de chaque côté de la jambe, comme j'avais vu faire à l'hôpital, ôter le couvercle, et retirer ma patte de son étui, délicatement, comme on sort du four un gâteau soufflé... hélas! Au bout d'une demi-heure, j'avais tout juste fait une encoche de quelques millimètres; un peu de poussière grumeleuse salissait le lino où j'étais assise, aux pieds d'Annie, pour pouvoir lui rendre et lui reprendre les ciseaux à chaque fin de cravate : à ce train-là, autant attendre la scie électrique.

J'eus alors l'idée de faire fondre le plâtre : je me trempai la jambe dans un seau d'eau chaude, et je déroulai, déroulai...

C'était tellement laid, là-dessous, que j'enfilai une chaussette et n'essayai même pas de marcher.

A la consultation, je reçus, en même temps qu'une engueulade soignée, un nouveau plâtre, dit « de marche ». Allongée sur la table de la salle des pansements, je vis ma quille redisparaître pour quelque temps encore :

— Et tâchez de le garder, celui-là, conclut le toubib, sinon vous marcherez dans dix ans.

Tout en parlant, il vérifiait l'épaisseur du talon — un

132

cube de gaze qui durcissait rapidement, pendant qu'une aide faisait une toilette sommaire à mes orteils et mon genou barbouillés de plâtras.

Mon pied allait refaire ce pourquoi il était fait : se poser devant l'autre, supporter une seconde tout le poids de la carcasse... dire que j'avais marché si longtemps sans y penser! J'allais connaître le bonheur des parents aux premiers pas de leur môme, augmenté de mon bonheur propre; m'avancer sans être étayée comme une poupée marcheuse, sans être poussée ni halée. Julien m'attendait sur la banquette de bois, avec les autres malades qui attendaient leur tour, et la femme en blanc qui attendait midi derrière son hygiaphone; moi, je franchissais l'attente, je me retournais, les mains enfin libres, vers ces mois de douleur emmurée; sur le seuil de la salle je souriais, hésitante, j'aurais voulu courir vers Julien, être légère, le surprendre... mais cette botte était lourde, beaucoup plus lourde que les béquilles, et c'est lui qui vint à moi pour me porter, par-dessous le coude cette fois, soulevant chacun de mes grotesques pas.

Annie me prêta une canne à bout caoutchouté, et je recommençai à cavaler sur trois pattes, toc-toc, moulinets, fourmis.

Et maintenant?

Je me campe devant l'armoire, le dos tourné à la glace, je me tords le cou pour comparer mes chevilles, je marche jusqu'à la porte de la cuisine : non, c'est pas vrai, je ne boite pas, je ne me vois ni ne me sens boiter. Je n'ai pas assez de place pour courir, mais les anciennes gambades fourmillent dans mes mollets; je ne peux pas sauter à cloche-pied, ni même me tenir en équilibre sur ma nouvelle gambille, mais je vais tellement vouloir que j'y arriverai.

— ... Donne-moi cette cigarette : tu vas fumer dans la rue, et puis quoi? Tu tiens absolument à te faire remarquer?

Julien est rasé de frais, sa chemise crisse, ses cheveux se divisent en mille raies, les sillons du peigne mouillé : il ne se sépare jamais de sa trousse de toilette, et l'escale du jour lui fournit l'eau et le miroir. Ce matin, il est arrivé pâle de sommeil, les cernes bleuis; il a dormi sur mon petit lit, roulé dans son duffle-coat, pierre, gisant, sourd à mes esquisses.

Depuis que je m'active et veille davantage, je réapprends le sommeil, je sens les fourmis douces, le soir, sous mes paupières; mais cette façon brutale, assommée, de tomber endormi, ce besoin plus impérieux que la faim et la soif, qui ligote et kidnappe... Si j'ai à aller dans la chambre, inutile d'y entrer précautionneusement, je peux bien passer de la pointe de pied au coup de talon et bousculer le lit et chantonner et chanter et brailler : le Sommeil est plus fort que moi.

— Éteins ta pipe...

Je regrette tout à l'heure, Julien, lorsque tu dormais, sourd mais aussi muet : je pouvais me pencher, passer les

134

mains devant ton visage, te pincer, t'étrangler; maintenant, je suis ta chose maladroite, ton petit lapin, ta gamine, tu me regardes avec décision et tu parles comme un homme! Je sais : tout à l'heure, sur le boulevard, ton bras se fera plus rond, plus secourable, il sera pour ma main une anse, un refuge, et tes pas attendront les miens; nous prendrons des taxis, nous entrerons dans des bars...

« Que diriez-vous d'un rafraîchissement? »

Mes parents se rafraîchissaient une ou deux fois par an, au buffet de la gare lorsqu'on voyageait, ou lorsqu'on faisait visiter la ville à des invités et qu'il fallait réconforter leurs pieds et leur gosier. Un sirop-bébé pour la petite. Je suce ma grenadine, je m'étale dans le dossier haut et canné, dans le mouvement de la terrasse; je demande à aller aux Toilettes, pour renifler le propre, le néon et les brillances du comptoir, pour toucher au gros œuf de savon qui tourne sur son axe chromé... plus tard, les brasseries deviennent rades et boîtes : j'y entasse mes nuits, mes paresses et mes soifs, je bavarde et je fume jusqu'à ce que le jour me chasse, et de temps en temps je me désentortille pour mettre un disque et le danser.

Cependant, jamais un rade ne m'a servi de salle d'attente plus de dix minutes : j'étais ponctuelle et je voulais qu'on le soit aussi.

Mais lorsque Julien me dit « A tout de suite » et revient

une ou deux heures plus tard, que puis-je faire d'autre que de l'attendre en regardant la porte? Où aller, où retourner, sinon chez Annie, tout à l'heure, par le taxi final? Je vide mon verre, j'ai soif, j'appelle le garçon, j'entame devant le verre renouvelé un autre segment de patience. Mon sentiment de réel, la preuve que Julien est bien venu, ce sont, les lendemains de balade avec lui, le cercle de l'alcool autour des tempes, et cette lourdeur heureuse vers le haut des jambes... Julien a dormi dans le petit lit, mais il a dit au revoir à Annie la veille, pour ne pas devoir la réveiller; il fait encore nuit lorsque je me lève pour le suivre à la salle à manger, faire chauffer l'eau et préparer le café : non, pas la peine, Julien s'est déjà lavé, à l'eau froide, il boira le café à la gare; Julien a changé de tenue, il a laissé les amours au chaud de l'oreiller, et je referme les verrous sur sa hâte : allez, ciao, excuse-moi, je suis à la bourre, je vais louper le dur.

Une ou deux semaines à être seule, maintenant.

— Mon petit lapin, je t'ai trompée! dit-il parfois en arrivant.

Et je réponds, en souriant :

— J'espère que c'était bon, oui?

La route est pure et âpre comme un désert; plus tard, peut-être, calmement, nous aborderons les sentiers magiques... Il y a d'ici là beaucoup de douleur encore, beaucoup de gens et de choses à pulvériser : fibre à fibre, je détisse, je sabote; je me déteste de faire à Julien « un travail », mais je sens autour de lui trop d'attaches fausses et gluantes, je voudrais scier au moins celles-là.

Moi aussi, jadis, j'ai été cajolée, ménagée, léchée : j'étais intacte et mordante, mon placard était bien rempli et mes mains ingénieuses.

Mes accessoires sont détruits, je suis blessée et pauvresse, et c'est moi, maintenant, qui m'offre et m'accroche; les gens ne me retiennent point, car je n'ai plus à leur proposer que moi, moi nue, et il faudrait beaucoup de temps et de tendresse pour faire jaillir de moi quelque ressource, quelque source.

Chapitre dix

— Annie, euh...

Ça sort difficilement :

— En prenant vos pipes, vous voudrez bien m'en acheter un lakson?

Dans ses pantalons qui affirment la maigreur de ses hanches, avec ses sourcils crayonnés et sa frisure de mouton, Annie est disparate : elle a le haut d'une vieille poupée et le bas d'un adolescent. Sur le marché, elle fait sensation. Aussi, j'évite de l'y accompagner.

Tout à l'heure, lorsqu'elle rentrera, équilibrée par ses deux filets à provisions, j'allumerai le dernier tronçon de ma dernière Gitane, pour provoquer le déballage tout en n'ayant pas l'air de l'attendre. En réalité, je suis raide depuis hier soir : mon budget s'est démantibulé comme j'achetais les apéros pour trinquer avec Julien, qui avait promis de passer et n'est pas venu. Que lui est-il arrivé?

Annie, ouvrant la porte, interrompt ma gamberge et la traduit :

— Ouille, mon petit, quelle douloureuse, ce matin! Enfin, j'ai pris de quoi bouffer pour la semaine, comme ça on pourra toujours tenir le coup de ce côté. Mais après...

Elle parle confusément d'emprunter à Villon «qui ne se gratte pas, elle, quand elle a besoin», de taper sa belle-sœur, etc., tout ça pour en arriver à me demander de persuader Julien, lorsqu'il sera seul avec moi bien sûr, de lui faire une petite avance sur la pension du mois prochain.

Celle-là, elle est sévère!...

J'explique que Julien n'est pas mon client, que ce n'est pas son crapaud que j'aime et qu'il ne nous doit rien : nous sommes le 23. Pas ma faute si Annie va chez le coiffeur et rhabille Nounouche et envoie des colis à Dédé. Et elle vient pleurer misère à moi, moi qui n'ai plus au monde qu'un clope de Gitane, en attendant qu'elle aboule sa provende! Assise, l'aiguille aux doigts, le genou serré sur la cravate, j'ai les yeux à la hauteur de sa ceinture

140

et je vois le rectangle du paquet de pipes qui déforme la poche de son froc. Je pense à la chaleur de la fumée qui coule, fluide, avec de petites aspérités âpres, dans la gorge et la poitrine, faisant fourmiller le sang; je pense à tous les cendriers que j'ai vidés dans ma vie; tenaillée par mon manque, je reste là, incapable de m'intéresser à ce qu'Annie raconte, à lorgner son pantalon.

« C'est pas le tout d'en avoir, il faut encore le mettre au soleil » : Pierre. « Attendez, le jour où je vais m'en donner la peine... » : Pedro. « Vous en faites pas Anne, j'en trouverai. » : Annie. Parmi ces fortunes impalpables bâties de mots et de vent, Julien n'a rien d'autre que du pognon. Le pognon, c'est nécessaire et naturel, c'est l'air et le sang, alors pourquoi en parler?

— Mais, Annie, il vous reste encore une semaine de pension, non?

— Vous ne vous rendez pas compte du prix de la vie, ma parole! Venez donc un peu plus souvent au marché, vous verrez!

— Impossible : je suis sûre d'en revenir avec quatre morlingues au lieu d'un. Mais... vous avez raison, je vais aller faire un peu de lèche-carreau, pour me rendre compte.

J'ai la tête pleine de coton, un coton qui tourne et se contracte en une pelote de plus en plus serrée. J'ai besoin de marcher dans Paris, de retrouver l'odeur des rues le matin, les sentiers du marché dans la bousculade des cabas; peut-être, je dépasserai le quartier, les femmes mal toilettées et les ouvriers flottant dans leurs bleus, j'atteindrai les rues nettes, au profond de la ville...

— Vous emmenez Nounouche?

(Merde!...)

— Si elle veut... Nous irons aux chevaux hygiéniques : j'ai envie de revoir le Luco.

— Alors, Nouchette? Tu veux aller avec Anne?

— Non. J'ai pas envie de sortir. Je reste avec *ma mère*.

Son bon petit cœur filial et jaloux me met à la porte : bien...

C'est la première fois que je vadrouille dans Paris au-delà du boulevard d'Annie depuis des années. Je m'arrête au carrefour : l'agent, les clous, le métro, et ensuite le puzzle des maisons et des rues, à l'infini. Si je franchis cette limite, si je plonge dans le sous-sol ou si je passe au boulevard suivant, comment accepterais-je de revenir vers Annie, son mauvais café, son tabouret à cravates, Annie de la Santoche, Annie du Sébasto?

Mais il faut garder Annie, pour garder Julien : je commence à me reconnaître dans tous les gens qu'il me décrit, mais je ne sais pas une adresse, pas un nom qui ne soit un diminutif ou un pseudonyme, je n'ai rien pour le rejoindre. Excepté Annie.

Julien écarte un instant le brouillard, j'y pénètre avec lui, les lèvres ouatinées; puis il s'éparpille, et je me retourne

142

sur le jour pâle, cherchant ce qu'il a emporté et où je n'ai plus accès.

Je m'appuie à la grille du métro pour compter mes râclures de poches : ça va, j'ai assez de pièces pour prendre un billet.

Lorsque je remonte à l'air libre, chaque détail de ce quartier me saute à la figure, instantanément familier : ces magasins, j'en connais chaque vitrine, chaque enseigne en lettres petites ou grosses, je sais celles qui scintillent dans la solitude des rues d'hiver, promettant la nuit. Les années reculent, j'ai seize ans, je traîne mes espadrilles sur la chaussée; et ainsi, avec mes cheveux sans barrette et ma poitrine nue sous le pull, comme la Gitane des affiches j'ai des nuages sous les pieds. Paris me caresse de mille regards, il s'offre comme je m'offre :

— Non mais, je suis quand même libre? Allez, du balai, je te dis.

— Et alors, mauvaise française, pilquoi qu'ti fais la méchante?

Eh oui, les ratons sont toujours là aussi, l'œil béat et lourd de miel, et les décidés « Marche devant, je te suis », et les petits et les grands vieux, les types sapés et ceux en bleus. Quelle différence entre ceux-là et ceux-ci, ceux d'aujourd'hui qui marchent à côté, devant et derrière moi, en chuchotant : « Vous prenez quelque chose? »

On prenait quelque chose, on posait son verre, on

revenait dix minutes plus tard... Je ne sais plus, je n'ose plus.

Un de mes compagnons d'apéritif me faisait signe, parfois, de derrière son calva : nous regardions le monde de la terrasse chauffée, l'agglomérat qui se formait peu à peu devant la porte : des hommes faisant un aller-retour de quelques mètres, petite sarabande dans la grande. « Je crois qu'on vous attend, disait mon copain, je ne vous retiens pas... »

Mon escorte d'autrefois s'est repelotonnée, elle m'entoure. Mais je marche sans ralentir, les yeux à terre, j'ai peur. S'il y a un flic dans le lot, si... Allons, Anne, relève les yeux, choisis, ouvre les doigts encore une fois...

— C'est pour un moment? demande la fille d'étage, qui ne m'a pas reconnue.

Le verrou. La chute des premiers vêtements, la pause : ah oui, ton petit cadeau, c'est ça? C'est ça même.

Je suis absente, docile, je ne pense à rien. Je ne serai même pas en retard pour le déjeuner.

Et je ne lorgnerai plus jamais les poches d'Annie.

Le lendemain, d'ailleurs, je la fais marron sans le vouloir; elle envoie Nounouche acheter le pain, lui confie un billet de mille en disant :

— Et fais attention de ne pas le perdre, c'est le dernier.

Nounouche s'en va farfouiller dans la chambre.

144

— Alors, qu'est-ce que tu fabriques? crie Annie.

— Une minute, m'man, je prends ma fille portative...

Et elle surgit entre nos tas de cravates, agitant d'une main les poignées de son lit de poupée modèle voyage, et de l'autre un bifton de cinq sacs :

— Et celui-là, maman, tu te rappelais plus que tu l'avais caché?

Quelle danse! Nounouche, les fesses meurtries, la bouche carrée et hurlante; Annie, pâle de rage, essoufflée d'avoir tant frappé, et essayant de m'expliquer l'origine (« des rognures de ses salaires ») et la destination (« le colis de Noël pour Dédé ») du magot si malencontreusement éventé.

Du coup, je ne me gratte plus : j'achète ce qui me plaît, je rentre les bras lourds de paquets, gâteaux, bouteilles, stocks du genre utilitaire : lessive, conserves... Et Annie ne me questionne pas et équilibre très justement ses dépenses, elle aussi : plus question de m'employer à taper Julien. Ainsi, nous nous dupons gentiment, elle louant la générosité de ses beaux-parents, moi celle de mon ami.

Pourtant, certaines froideurs, certaines réflexions irrésistiblement jaillies et aussitôt rattrapées en sourire, me font sentir que l'ambiance se détériore sans espoir de rafistolage. Ainsi, les premières semaines, lorsque Julien venait, Annie faisait une hôtesse chaleureuse, d'une discrétion moite et maternelle; si Julien ne restait pas la nuit, elle s'éclipsait chez les Villon, emportant les cartes et un litron :

— Allez, viens, Nounouche... Amusez-vous bien, les enfants, on revient dans une petite heure.

Nous aurions dû rivaliser de délicatesse, ne pas toucher au lit, nous caresser avec précaution; mais nous préférions nous étaler par toute la baraque, fumer près du lit de l'enfant aux bronches fragiles, vider les flasks apportés par Julien sans en laisser une goutte pour le toast du départ, tout à l'heure, lorsque les intruses rentreraient chez elles. Et avec nous l'heure s'étirait, long, loin, en arrière jusqu'à la dernière veillée, en avant jusqu'à la prochaine — s'il nous était donné d'en vivre encore une. Les raccords se soudaient, la nuit et la peur s'en allaient, les doigts de Julien passaient sur moi, baume et brûlure... J'avais l'impression de faire l'amour en taule, menacée par le judas, étalée dans une toute petite surface et un tout petit temps : une flaque, un îlot de temps. Ensuite nous effacions toute trace de notre cavale, nous refaisions le lit, nos visages, notre attitude. Quand même! Les appartements d'Annie, ses draps, les ustensiles dont elle s'était servie avec Dédé... Au début, j'admirais, je compatissais :

— Moi, comblée de toi, et Annie, la pauvre...

Julien rigolait, hermétique :

— Te bile pas pour elle...

Avec le billet de cinq sacs, j'ai fini de me biler.

146

C'est le soir de mes vingt ans, au champagne, après les toasts, que mon séjour chez Annie entra dans sa période de franche décrépitude. Je n'avais pas pipé mot de cet anniversaire depuis longtemps; et Annie, qui ne lit le calendrier qu'à l'envers — « encore tant ou tant de jours pour Dédé » —, en avait heureusement oublié la date. Mais Julien, lui, avait dû la noter dans son agenda, ce pense-bête noirci en tous sens de mots et de signes qu'il consulte sans cesse : à vingt heures, il arrivait, suivi de mon convoyeur de mai, et tous deux m'étouffaient de fleurs, de cartons, de baisers et de souhaits.

— Oh, des glaieuls... Mais ils sont aussi grands que moi! Merci...

On les mit dans un broc, par terre, derrière mon fauteuil : j'étais posée sur ce fond comme pour une photographie de luxe; on coupa en deux l'unique bougie de la maison, un tronçon par décennie. Mais nous ne savions pas que, pour l'amitié bien imitée qui nous faisait jusque-là nous supporter, ce repas serait le dernier. Nounouche posait des biscuits à la cuiller à côté de chaque assiette, comme à un goûter de patronage; l'ami était parti, Annie bâillait dans sa coupe et mes vingt ans s'ébréchaient déjà, glissant seconde à seconde vers la vingt-et-une, la désirée, la majeure, l'année grave.

Les femmes allèrent se coucher : « Et fermez bien le

147

verrou », dit machinalement Annie en m'embrassant une dernière fois. Julien, ainsi congédié de mon lit, ne voulut pas rester avec moi, ni m'emmener ailleurs, ni prendre une chambre d'hôtel sous un nom bidon; il n'exauça aucun de mes souhaits, et nous nous énervâmes si bien avec les fonds des bouteilles et la bataille des mots, cherchant à nous construire et heurtant le mur aveugle des impossibles, que je finis par recevoir une gifle et la rendre :

— Oh, Julien, pleurai-je, je t'aime...

— Moi, je n'aime que ma mère...

C'est ainsi que nous acceptâmes, enfin, de reconnaître et de croire que nous nous aimions.

Maintenant, ces mots, au secret de ma mémoire, me font rire et m'éloigner de plus en plus : j'aime, l'étoile est née. Rolande a dû recevoir l'as de trèfle; tout est vierge, lumineux, un inconnu lisse invite mes pas. Encore un peu de patience... Mais comment quitter Annie? Quelle occasion, quelle brouille faire lever?

Le fauteuil de malade, dans la salle à manger, est devenu fauteuil d'amants : nous ne voulons plus du petit lit. Ou bien, je fais connaître à Julien les hôtels de ma jeunesse. Ces moments, où nos corps et nos cœurs jouent et se reposent l'un en l'autre, ressuscitent d'autres « moments », passés autrefois avec d'autres hommes : sans honte, sans mensonge, je les raconte, comme des histoires étrangères ou fictives; le passé jette des feux, puis s'éteint et se cautérise.

148

— Que rien ne ternisse cet instant...

Et l'on se rejette dans les rues, on traîne, on se retarde; voici quand même le boulevard, l'immeuble, la cour. Annie prépare à bouffer, Nounouche cherche des bonbons dans nos poches. Nous nous regardons tous trois avec des sourires rances, nous laissons parler le poste, n'ayant rien à nous dire; pour nous occuper la bouche, nous fumons et nous buvons jusqu'à l'heure du « Bonsoir, les enfants, et fermez bien les verrous, Anne. »

Ce soir, enfin, la baraque explose.

Nous avons fait monter une bouteille, du bar de l'hôtel où nous avons passé l'après-midi; par-dessus, nous avons bu de nombreux apéritifs; nous sommes rentrés chez Annie au dessert.

Nounouche, pour une fois, a retenu la leçon de sa mère et s'applique à ne pas nous regarder, oubliant de bouder sur son assiette qu'elle vide, torche et retorche; Annie avale, avec son appétit coutumier, n'ouvrant la bouche que pour enfourner. Notre couvert n'est pas mis. Lasse de rester devant le buffet, je décide d'échapper à la honte que cette mise en scène doit logiquement provoquer, et d'aller me coucher. Je franchis assez dignement toute la longueur de la pièce; et c'est là que mon orteil, accrochant une aspérité du lino ou une cravate à la traîne, glisse sous moi et m'entraîne toute, pendant que le décor chavire et que l'alcool me jaillit par les oreilles. Annie se met à ricaner :

— Eh bien, vous êtes beaux, tous les deux! Puisque c'est comme ça, ça va changer : vous saurez, Julien, que ma maison n'est pas un bordel, et que...

Du coup, je me retrouve brillante, froide, rigide :

— Je le sais, Annie, et c'est bien pourquoi je n'y resterai pas une minute de plus. Je libère la chambre, comme ça vous pourrez reprendre vos habitudes de célibataire et y recevoir qui vous plaît. Allez, toi, viens m'aider à descendre ma valoche de l'armoire.

Comme Julien ne bouge pas, je grimpe sur le pied de mon lit, je décroche la valise, et je commence à y jeter le contenu de mon étagère. Je vais à la cuisine, pour récupérer mes affaires de toilette, mais les hurlements d'Annie m'arrêtent : c'est intéressant, le cœur ouvert.

— Vous êtes une petite garce, écume-t-elle, une petite ordure...

— ... une petite salope et une petite cavette, achevé-je. Bon, vous avez fini, que je prenne congé?

La valise, trop bourrée, fait le dos rond, je n'arrive pas à la fermer :

— Alors, Julien, tu m'aides, oui ou merde!

Je suis le seul personnage du tableau à bouger et à parler, j'ai envie de les animer à coups de pied, de tuer et de m'enfuir... ils restent là, assis : Annie, hébétée, cuvant les derniers bouillons de son éclat; Julien, immobile, à la fois attentif et vague. Nounouche, tassée contre

150

la chaise de sa mère, pleure à petits reniflements, dépassée pour une fois par cette scène, une vraie scène grave comme au ciné, à laquelle participent les larmes et le cœur déchaîné, tap-tap-tap, pauvre cœur de Nounouche, et moi... Moi, je commence à me sentir en plein enfantillage. Déjà, je songe qu'il aurait été bon de boire et de discuter, ce soir encore, comme trois simili-potes; Nounouche dormirait, la valise serait à sa place sur l'armoire, promesse de départ, bientôt, bientôt... Mais la valise, je suis assise dessus, et rien au monde ne me la fera rouvrir ici : il faut partir ce soir ou jamais, l'occasion est trop belle. Belle pour Julien, patient, irrésolu; belle pour moi, saturée, prête à m'élancer n'importe où pour y faire n'importe quoi. Partir, retrouver l'air, chanter.

Lorsque je me lèverai... me voilà debout, le front posé sur l'épaule de Julien. Par-dessus mon tailleur, j'ai enfilé mon manteau : il doit faire froid, sous les réverbères de Paris où je vais recommencer à errer. Je ne regarde pas Julien, mais je sais l'expression absente, la pâleur, les yeux foncés, les tempes moites.

— Où vas-tu, Anne? Où te retrouver, maintenant? Tu vas te faire prendre... oh, tout ça, tout ça pour en arriver là...

Ses bras me serrent, m'incrustent à lui :

— Mais tu prends ça à cœur, vraiment? Tu n'es pas heureux que je me casse? On va être libres, se voir tant qu'on voudra! Plus d'horaire! Plus de cravates!

— Je sais bien, continue-t-il. On est toujours seul. C'était le pire, vois-tu : que tu partes et que je ne te revoie plus jamais. Je vais reprendre ma route. Seul. Et ne plus accepter de m'arrêter.

Julien, Julien, cette eau sur ma joue, tes larmes, brèves, muettes, qui me coupent le cœur... Je ris, durement :

— Je souhaite qu'un jour tu chiales autant que j'ai chialé, que tu m'attendes comme je t'ai attendu... Viens, allons-nous-en, maintenant.

— Dis-moi au moins où tu vas...

— Aie pas peur, je sais où aller. Je saurai aussi te retrouver, si tu veux... Donne-moi rancart, où ça t'arrange, quand tu voudras. Je n'ai rien d'autre à faire : venir à ton appel, être là, exacte, pour toi.

Julien propose de rappeler Annie, pour nous réconcilier avant que je parte... et essayer que je ne parte point.

— Demain, je verrai quelqu'un...

— Une nouvelle planque, voilà! Pierre, Annie, pardon siouplaît, c'est comme ça que je vais passer toute ma cavale! Écoute, Julien : je marche, c'est ta plus belle victoire...

Julien se méprend sur « je marche », il croit que j'accepte, ferme les yeux et sourit de joie; et moi, pour ce sourire, je sens que je vais capituler... C'est alors qu'Annie sort de la chambre pour aller boire ou pisser; et son regard, cinglant et rigolard, renforce ma résolution. Non, non, je ne peux plus rester, je crève ou je la tue.

152

L'aube se lève comme nous quittons l'appartement, laissant les verrous ouverts. Dans le taxi qui va vers la gare, cette gare où Julien va me laisser sur le quai, je prends sa main : elle est froide et inerte, une main morte, et ses lèvres aussi sont glacées.

Chapitre onze

— Te marre pas, surtout : la voilà...

Un doigt indifférent et pressé frappe à la porte. Je crie « Entrez », de la voix indifférente et peu pressée d'une femme qui sort d'une nuit posée, seule dans un lit d'hôtel, et qui, par habitude, se fait monter un petit déjeuner sur lequel elle se rendormira, pour étirer la matinée. Profession vague, identité précise, horaires ponctuels : le gérant est content de moi et les chambrières trouvent toujours une petite excuse en espèces sur les accidents du drap. On ne

155

l'accidente qu'à la cendre ou au chocolat : chez Nini et Annie, Julien et moi avons pris des habitudes de Sioux... Pour enquiller dans ma chambre, Julien se faufile rapidement devant la Réception, pendant que j'amuse le veilleur de nuit avec le bruit de ma clé; je le rejoins dans l'escalier, j'ouvre ma porte et nous nous y engouffrons comme des gens qu'on poursuit.

Ce matin, mon réchaud Méta était en panne de plaquettes, et boire du Nescafé à l'eau du robinet ne nous disait rien. J'ai téléphoné pour commander un petit déjeuner : un seul est assez vaste pour deux, pain et croissants, beurre et confitures, café à plein pichet.

Je referme la porte sur la soubrette et j'extrais Julien du coin-toilette : il est assis, sagement, sur le bidet.

— Viens, chou, j'ai faim, faim...

Le plateau posé sur nos quatre jambes, les gestes courts et mêlés, le désordre tiède; le cendrier remplaçant le plateau...

— Je fume une pipe et je me tire, dit Julien.

— Ton train est à onze heures quatre, tu m'as dit : tu as bien le temps. Dormons encore un peu.

— Non, j'ai quelqu'un à voir. Oh, ce n'est pas une fille!...

Qu'est-ce que ça peut bien me faire! Je fourre mon nez dans l'épaule de Julien, du bout du doigt je démêle sa poitrine; je m'imprègne du moelleux et du nacré de sa peau, j'apprends chaque détail, chaque grain rose ou brun, pour m'en souvenir et m'en faire forte jusqu'au prochain

156

bonheur : une soirée, une nuit, voilà mes bonheurs, deux ou trois fois par mois. Le reste du temps, c'est la tâche, la corvée, la peur diffuse.

Il pleut presque chaque jour : mes cheveux frisottent, ma jupe colle en plaques humides, ma cheville s'emplit d'une froidure aiguë et lourde; pourtant, je marche, il le faut. Pour pouvoir dire à Julien « T'occupe, je me dépatouille bien », pour être vacante et secrète, pour lui faire oublier ces longs mois où j'ai été tributaire de lui et l'idée que je l'ai aimé pour l'en remercier; pour qu'autour de nos rencontres ne traîne aucun propos sordide, pour qu'à mon tour je l'inquiète et lui manque un peu... Chez Pierre, chez Annie, son affection se reposait, l'escale était stable, j'étais toujours là; maintenant, je bâtis une demeure plus périlleuse, mais plus habitable, je la garde vide et spacieuse pour y vivre avec lui, ne réservant pour mon usage qu'un tout petit débarras, la pièce honteuse, encombrée, besogneuse.

Plus tard, bien sûr, je ferai « des affaires », des grosses, des dorées; mais d'ici là, il faut assurer la matérielle. Je n'ai jamais faim, mais j'ai mille faims en tête, et la faim de Julien qui se divise en mille désirs, puérils, épateurs, compliqués...

Vers seize heures, je fais une toilette appliquée, conçue pour résister jusqu'à la nuit : bas inaccrochables, rimmel qui ne coule pas, fringues où l'on paraît élégante et où l'on se sent chez soi; je plie et j'époussette, je range ma chambre

157

comme une pensionnaire, d'abord parce que j'ai un peu le trac des femmes de ménage, ensuite parce que, peut-être, je n'y reviendrai plus jamais.

(« Allez, debout, pas d'chaise pour les gonzesses comme toi, non mais, visez un peu cette tête de lard ! »)

Lorsque après des heures d'interrogatoire je me serai résignée à livrer mon adresse, les poulets ne trouveront ici qu'un slip séchant sur le radiateur, et, à la rescousse de tout objet trop joli pour ne pas leur sembler volé, une liasse de factures : facture du poste, de la montre, du fer de voyage.

Il faut bien s'y attendre, à chaque seconde, à chaque pas...

Je découche rarement : en général, l'ennui m'assaille avant l'heure où je pourrais franchir le sommeil, devenir ombre et chercher des compagnons de nuit, plus rémunérateurs que ceux du « moment ». D'ailleurs, les nuits à trente ou cinquante sacs, je n'en ai entendu parler qu'en taule, là où le baratin autorise tous les luxes. Sans doute, des nuits de cavaleuse devraient valoir plus cher encore ; mais la nuit couvre le jour, toutes les heures ont même couleur, la couleur blême du danger. Je retiens ma fatigue et mon dégoût jusqu'à un gain donné, et je les lave ensuite dans de délicieux et compacts sommeils.

Dans les bars où s'agglutinent les prostituées, j'ai retrouvé quelques mineures de Fresnes, qui tapinent en clandé jusqu'à l'âge requis pour la carte, ou qui ont atteint cet âge et sont devenues des professionnelles. Malgré ma nouvelle

158

démarche, ma taille amincie d'une bonne dizaine de kilogs et ma défroque civile, elles m'ont reconnue :

— Tiens, Anne! Tu es donc sortie?

Je réponds que je ne m'appelle pas Anne, que je fais « ma nouveauté » à Paris, et en même temps je cherche dans la galerie de visages accrochée à la galerie de la taule. Des robes grises ou marron, épaisses et engonçantes : les visages de l'hiver; des blouses écossaises ou rayées, transparentes de vétusté, élimées aux rondeurs et aux pliures : les visages de l'été. Mais, été comme hiver, mes petites sœurs gardaient le même masque, pâle, marbré ou congestionné, les cernes maquillant les yeux, et cet air fade, anonyme, uniforme. Parfois, l'attention était accrochée par des yeux plus brillants, des lèvres particulièrement ourlées, des dents super-fraîches; mais comment me rappeler un nom, comment savoir de quelle chrysalide sont nées ces filles, à présent méconnaissables sous un autre uniforme, maquillage opaque, fringues collantes, cheveux teints?

Elles restent au bar : elles attendent que la comptée vienne à elles, elles n'ont rien d'autre à faire; elles attendent, le flanc affalé contre le juke-box, ou juchées au comptoir devant des verres, comme attendent les vendeurs à la porte des boutiques, les mains au dos, là-haut, au sortir du royaume des putains, lacis et ruelles, dans l'espace illuminé du boulevard. Leur chiffre d'affaires dépend de la saison, de la façon dont elles sont habillées ou coiffées :

159

— Quand je mets cette robe, ma pauvre, je dérouille pas.

— Moi, je ne travaille bien qu'en pantalon.

Moi, je marche. Je ne flâne pas au rade, je n'ai pas le temps, je n'aime pas le trottoir et je ne suis pas plus pute qu'autre chose. J'emploie ce moyen parce qu'il est rapide, qu'il ne nécessite ni horaire ni apprentissage — ou si peu : les pattes des souteneurs, les roublardises des clients, je m'en défilais déjà à seize ans, et rien n'a beaucoup changé depuis... Je ne crains vraiment que la poulaille, n'ayant pas le moindre papier à lui présenter en cas de rafle; mais sans cesse je change de rue, d'hôtel, d'allure; je renifle les passants avant de leur répondre; une intuition obscure et certaine m'arrête ou m'encourage, des feux de signalisation clignotent dans ma tête, rouge attention, vert c'est bon, passe, attends, n'attends pas et file, souris, viens. Le long des rues, je glisse des pas pressés, déterminés, je boitille à peine et je marche le plus vite possible : ce manque apparent d'intérêt, ce genre «Vous faites pas le genre», me servent de rempart et d'appât.

— On peut se revoir?

— Pourquoi pas, si le hasard le veut?

— Mais enfin, où puis-je vous trouver? Vous avez bien un coin, un bar attitré?

— Ah, moi... Je marche.

Pour leur faire plaisir, lorsqu'ils sont particulièrement généreux ou pitoyables, je trace un itinéraire, je note un rendez-vous sur mon calepin — du griffonnage en pers-

160

pective pour ce soir, ne pas laisser traîner d'écrits, et alors, tête de lard, et celui-là, qui c'est? — Bien extraordinaire si le type me retrouve, Paris est grand. Et du reste, qu'est-ce que je vous dois? Vous m'avez attendue une heure, dites-vous? Moi, deux. C'était ailleurs et ce n'était pas vous, mais qu'importe? L'un de vous me doit une heure.

Peu à peu, je m'organise, je fais des fixes, des listes d'achats; la baraque se fait belle, je n'enlaidis pas, et Julien téléphone plus souvent. Je ne serai pas reprise, non : la pensée constante de Julien m'éclipse et me protège. Je me moque de retourner en taule, mais, aujourd'hui, ce serait trop absurde... aujourd'hui est prélude à un autre temps, un temps qui sera, lui, prélude à ma capture; mais je veux d'abord marcher encore un peu... Mai approche : j'achète des robes assorties aux premiers hâles, des ratatouilles de couleurs; je marche en espadrilles, comme autrefois, je me soûle de marche sous les bourgeons de Pâques. Déjà un an que je suis dehors!...

Sous les mots et les caresses des hommes, j'oublie parfois que je ne suis pas si belle, pas si gentille que ça; si vous m'aviez vue avant, bande de cons, lorsque j'étais intacte et sans amour, si vous me voyiez demain lorsque je serai cicatrisée, guérie de tout excepté de l'amour...

Comme dit Annie :

— Mais vous êtes jeunes... Vous croyez que quand on avait votre âge, ça allait tout seul, Dédé et moi?

Pour expliquer mon souci de ne pas être raflée et mon refus de me mettre en carte, je raconte aux filles que je suis en liberté conditionnelle, à condition de ne pas bouger quoi, que faire le truc c'est, pour ma bougeotte, un palliatif, etc. Mais la seule dans tout Paris à connaître la vérité, c'est Annie... Alors, j'ai fait la paix, presque immédiatement après ma « fugue »; et puis, tout de même, Annie a été ma mère pendant plus de six mois; nous avons vécu ensemble des heures attendrissantes, laborieuses; nous avons — quoique pour des raisons différentes — espéré toutes deux le retour du même homme...

Le matin où les mains de Julien étaient si froides, la valise si lourde, nous nous étions attardés au Buffet de la gare, laissant partir les trains; j'avais demandé du chocolat, je n'avais aucun souci, j'étais affamée et guillerette :

— Julien, chou!... Ne sois pas triste, bois du chocolat avec moi... A quoi tu penses? Tu ne veux pas croire en moi?...

Je sautai du marchepied comme le dernier train s'ébranlait; j'emportais, bien gravé dans la caboche, un numéro de téléphone, et ce chiffre déroulait un filin indestructible à mesure que les wagons me doublaient; je tenais ce fil bien serré pour me préserver du doute et de la noyade, je tenais, à l'autre bout, Julien...

Dans certains quartiers de Paris, on ne vérifie pas

162

vos faffes à la réception des hôtels : il suffit de présenter avec assurance un porte-cartes vide, que le taulier repousse avec politesse. On fait confiance à votre bonne mine; et, même rapiécé, votre accoutrement ne provoque aucun étonnement, si les pièces sont des pièces d'or.

Pour commencer opportunément et en grande forme ma vie de femme libre, je dormis jusqu'au soir; après dîner, je me recouchai et je restai encore bouclée toute la journée du lendemain. Le téléphone placé à la tête du lit me servit de jouet : la facture de l'hôtel me donnant plus de marge que le jeton des bars, j'envoyai çà et là quelques bonjours-surprise, puis je fis demander Annie par la bistrote en bas de son immeuble, celle à qui nous achetions le pastaga à la pièce.

Annie accepta mes excuses avec empressement, me les retourna en renchérissant : « Moi aussi j'étais un peu poivre, des coups de gueule ça renforce l'amitié, venez vite me voir », etc.

De temps en temps, donc, je fais chez elle une petite apparition. J'ai des paquets plein le cabas et, pour faire pardonner à l'éternel peignoir d'Annie mes toilettes (dont je prends soin de changer à chaque fois), je m'épuise de gentillesse et de simplicité. Je ne crois pas qu'elle aurait été jusqu'à me balancer, mais je crains et je ménage tout le monde. L'idée de la capture ne me quitte pas : j'apprends à la regarder en face, je l'apprivoise, je ne la chasse jamais. L'ombre rôde, je la reconnais, je la

détaille puis je fonce dessus : tu viens? Oui, je viens:
Marche devant, je te suis. C'est du petit boulot, du mégot,
du risque disproportionné, de la cheville fatiguée, des
microbes et des gnons qui peuvent s'abattre sur moi à
chaque seconde : protège-moi, Julien, car c'est à toi, à
toi seul que je reviens. Ma liberté m'encombre : je voudrais vivre dans une prison dont tu saurais fermer et
casser la porte, un peu plus, un peu plus longtemps...

J'ai bien bossé aujourd'hui. Je fais la pause-perroquet
en bavardant avec Suzy, une ex-mineure qui a écopé
depuis Fresnes de pas mal de kilogs et de vulgarité,
d'un Jules, et — avant le Jules — d'une moufflette qui
a maintenant trois ans. Sa mère l'amène quelquefois ici :
pendant que maman travaille, elle joue derrière le comptoir,
ou dessus, à califourchon.

Nous évoquons le temps où Suzy — alors Suzanne —
réintégrait Fresnes deux ou trois fois par an, pour évasion
de Bon Pasteur, menus vols ou vagabondage spécial.
Suzanne avait la cote, aux Mineures, parce qu'elle avait
presque vingt ans — la maturité, quoi —, parce qu'elle
savait conduire des voitures, et, même, en voler. Je la
regarde, avec ses mains grassouillettes aux ongles violem-
ment teints et taillés, ses épaules laiteuses sous la trans-
parence de son corsage noir mi-dentelle mi-jersey, ses
escarpins très hauts qui lui gonflent les pieds et terminent
en pointe ses jambes toutes rondes. Je dis :

— Au fait, Suzy, et les bagnoles? Toujours mordue?

164

J'imagine les talons aiguille glissant sur les pédales, les ongles se retournant sur le crocodile; je revois Suzanne de Fresnes, qu'on charriait à l'heure du short de gymnastique, chaque midi : « Vise-moi les guibolles, elle tient bien debout, la fille. »

— Penses-tu! dit Suzy, en allumant sa Pall Mall avec un briquet en plaqué et en soufflant la fumée au plafond. Maintenant, j'ai un gosse, je mouille! Je ne touche plus à rien, je fais tranquillement mon petit tapin...

Moi qui voulais la brancher pour des affaires!

— Deux autres Ricards, Jojo! appelle Suzy. Un nature et un perroquet.

Je proteste : j'en ai vraiment marre de la poivrade aujourd'hui.

— Allez, allez, c'est le dernier!

— Bon, le dernier, alors...

Avant-hier, Julien est arrivé au volant d'une vieille traction, « un morceau de pain, une occase ». Il m'a montré la carte grise, la vignette, l'attestation d'assurance : c'est bien la première fois que je l'entends se vanter d'avoir acheté quelque chose, mais sans doute voulait-il museler ainsi mon trac perpétuel, te fais pas de mouron, Anne, mon lapin. Il m'avait apporté des jonquilles, achetées à un de ces vendeurs de bord de route, comme on en voit tous les dix mètres, au printemps; le bouquet allait juste dans mon grand sac, une mallette carrée genre vanity-case, armoire et salle de bains portative :

— Je les mettrai dans l'eau tiède tout de suite en rentrant, dis-je. Ça les défripera très bien, tu verras.

— Je ne verrai pas... Oh, pardonne-moi, Anne, je ne peux absolument pas rester avec toi ce soir.

Lorsqu'il m'explique ses amis du soir, lorsqu'il me quitte en bousculade, avec une tendresse souriante comme un adieu, je pleure un peu intérieurement, bien sûr; mais bientôt j'accepte, je regagne mon débarras... Avant-hier, c'était différent : je sentais que Julien allait rester à Paris, qu'il me quittait pour rejoindre l'autre... L'Autre, dont la présence et la silhouette se précisent de plus en plus, quoique Julien entretienne autour d'elle le silence et le brouillard. Un jour, je vais me mettre à la recherche de cette ombre, je la pulvériserai... non, c'est moi qui suis ombre, mes mains d'ombre ne peuvent pas serrer, même le cou d'une autre ombre, avec assez de force; je dois accepter Julien avec toute sa cohorte, et peu à peu m'approcher en disant « Pardon », jusqu'à le rejoindre et marcher à côté de lui, laissant ces gens nous poursuivre ou nous abandonner, à leur gré; mais d'abord, m'approcher...

J'ai claqué la portière de la traction et j'ai marché, aussi vite que le permettait ma patte, sans me retourner, sans écouter le moteur qui fondait déjà dans le fracassant trafic nocturne. Dans le métro, je me regardai pleurer dans la vitre, Nation-Étoile, Étoile-Nation, « faire du métro », un vieux truc pour m'endormir.

166

Je descendis une station avant celle de mon hôtel :
je voulais regagner mon lit à pied, et, si possible, trouver
d'ici là des bars encore ouverts, où l'on ne me connaîtrait
pas : celui de l'hôtel était incompatible avec ma soif
sans limites, sans élégance, ma soif sans soif. Je bus
coup sur coup plusieurs doubles-cognacs, j'en vidai un
dernier à l'hôtel — les autres étaient trop récents encore
pour transparaître : je ne sentais absolument rien, ni
vertige ni chaleur, j'étais froide et claire. Je pris ma
clé, montai sans prendre l'ascenseur : je retardais le
moment où je n'aurais plus à me tenir droite, à articuler,
à marcher. Déjà, les idées déblayaient ma tête, se tassaient
en vrac, ne laissant qu'une image fixe : la bouteille de
Cherry apportée récemment par Julien, non entamée
— je n'aime pas ça — sur une étagère de l'armoire;
la bouteille que j'allais boire, vite, sur laquelle j'allais
foncer avant même de commencer à me déshabiller : pour
atteindre l'étagère, il fallait grimper sur une chaise, et le
cognac toc-toquait à présent derrière mes yeux et mes
oreilles. Je fis ensuite ma toilette, au ralenti, buvant une
gorgée entre chaque geste, écoutant l'alcool s'emparer de
mes artères et les diluer; je versai le reste de la bouteille
dans mon verre à dents, je le posai à portée de ma main
et je tombai sur le lit, assommée.

Pendant trois tours de cadran, j'oscillai entre la vie
et la mort, roulée dans une mer de couvertures et de
draps enchevêtrés, qui m'étouffaient, me ligotaient, puis

se dénouaient en espaces angoissants et vides où je ramais et râclais comme une naufragée. Le téléphone sonnait, je criais « Allo, allo », sans songer à décrocher; je cherchais ma mort dans l'ombre des rideaux qui restaient fermés, dans l'alternance de la pénombre et du noir absolu.

Jour, nuit, jour : ce matin, je décidai de recommencer à vivre, craignant que les femmes de chambre ne finissent par ouvrir ma porte au passe-partout.

Ce soir, je me sens extraordinairement bien. Un léger tampon d'ouate roule derrière mes orbites; par moments, les voix, les bruits et la musique du juke-box tintamarrent jusqu'au cataclysme, les visages et les objets enflent et explosent devant mes yeux; puis, je cligne des paupières et tout reprend son aspect normal, net, rassurant.

— Ah, excuse-moi, Suzy...

Le gars qui vient de pénétrer dans le bar est un de ceux que j'ai déjà « montés » : je les monte, parfois je les démonte, mais je les remonte rarement : las de me chercher dans les endroits que je leur ai dit fréquenter, ils en prennent une autre ou ils s'en vont. Mais celui-ci est particulièrement tenace :

— Je vous cherche depuis une semaine, dit-il, en s'asseyant à la place que Suzy, bonne collègue, a aussitôt libérée, « le client, c'est sacré ». J'en ai mal au crâne d'écluser des pastis dans tous ces bistrots. Mais je vous ai retrouvée, c'est l'essentiel.

168

Il a de gros sourcils encore noirs; ses cheveux gris semblent posés, artificiels, drus et brossés, sur un visage de très jeune vieil homme, buriné, avec des yeux limpides, des dents fortes et blanches. Moi qui détourne toujours les baisers des hommes vers ma joue, j'ai presque envie d'embrasser celui-ci, qui a des lèvres reposantes, à la fois humbles et voraces... Nous redescendons de l'hôtel, nous nous séparons; puis, au même instant, nous nous retournons, nous revenons l'un vers l'autre et nous nous mettons à marcher côte à côte, du même pas :

— Voulez-vous dîner avec moi?

J'hésite : ma comptée n'est pas complète. Je n'en rends compte qu'à moi-même, mais je suis une self-mac woman rigoureuse.

— Je veux bien... mais ça vous ennuierait de repasser me prendre d'ici une heure, une heure et demie?

— Vous voulez travailler encore, c'est ça? Venez dîner : vous me direz combien je vous aurai fait perdre, je vous le donnerai...

Curieux, ce type : ses fringues et ses paroles font peuple, et pourtant il semble avoir de l'osier, des usages, il est assuré et courtois; il m'est comme une escale où l'on dort bien, il est une épaule brune où je pourrais reposer, les yeux pleins d'épaule blonde, oh, Julien...

Taxi, Pigalle, restaurant, la note je vous prie, où va-t-on maintenant? Cinéma, boîte de nuit, danser, les Chansonniers?

169

Je ne veux pas m'exhiber avec ce vieux. Je vais le faire banquer et me faire jouir, voler son lit et m'enfuir avant l'aube. Il n'en croit pas ses oreilles : je suis libre, vrai? Je dis :

— Je n'ai pas de Jules. Enfin, je...

Non, je ne dirai rien.

— ... tout au moins, je n'habite pas avec lui.

Ce soir, c'est vraiment du recel involontaire : les pro-bloques sont deux vieilles filles intransigeantes question visites nocturnes; le type monte l'escalier à pas de loup et je le suis, les souliers à la main :

— D'ailleurs, dit-il, vous êtes la première à venir chez moi.

— Mais bien sûr, dis-je, en envoyant promener mes godasses et en étirant sur le couvre-lit bien lisse ma cheville lasse et gonflée.

« Meublé »... J'avais levé les sourcils : avec la dégaine du gars, je m'attendais à un garni plutôt qu'à une garçon-nière de luxe et j'avais préparé un silence poli; mais soudain je me sens crevée, crevée au point de ne plus pouvoir ni bouger, ni jacter, ni traduire en mimiques quoi que ce soit. Je me laisse verser un verre, le type le soulève jusqu'à ma bouche, j'avale comme un bébé, ma langue est brûlée, sale, rèche. Il me déshabille, fait glisser le drap sous moi et s'installe, assis au bord du lit. Il va me veiller, et puis quoi?

— Alors, tu viens te coucher, oui?

170

Maintenant, c'est un homme, nu, anonyme, ni plus ni moins moche que ceux de l'après-midi, mais qui a sur eux l'avantage de posséder un lit. Au bout d'un moment, je dis :

— Allez, ça va comme ça...

Le pauvre, il voulait me faire plaisir!

Il me donne rendez-vous pour le dimanche suivant. C'était avec Julien que j'avais espéré passer ce week-end : ma biture mortelle valait à mon sens une compensation. Mais Julien n'a pas téléphoné.

Désœuvrée, ayant chaud, j'accepte d'aller passer le temps avec Jean, de manger et coucher avec lui; j'accepte aussi le contenu de son crapaud. Il me raconte sa vie : c'est bien un ouvrier, mais un spécialisé, un précieux, qui manie des mastodontes aux entrailles délicates, pendant leur sieste sur les chantiers ou derrière les champs de course; Jean, qui parle de ses engins comme de femmes aimées, Jean le mécano.

Lorsque le blindé est trop épais, comme chez Pierre par exemple, je n'essaie pas d'intéresser les gens : après quelques avances mal reçues ou interprétées de travers, je me renfrogne dans l'indifférence où eux-mêmes me laissent. Non par mépris, mais parce que je ne sais pas forcer les oreilles et les cœurs : il faut qu'on vienne à moi. Je vais dans le sens des gens, indifférente dans leur dédain, confiante dans leur sollicitude, souriante dans leur gaîté.

171

Jean m'exalte, me lèche, me rend les jambes pareilles :

— Et tu dis que t'as pas des belles guibolles? Mais regarde-les, regarde-les dans la glace, tes pattes!

Oui : la droite d'une pin-up et la gauche d'une poupée, pourquoi ne pas le croire?

— Aïe, Jean, arrête tes conneries, ça m'énerve.

Dans mon casier, à la réception, je cueille le vide, chaque soir; chaque matin, j'espère le grelottement du téléphone; mais jamais il ne m'appelle, ce bigorneau maudit, ce Julien maudit, cette vie de maudite, maudite vie que je bénis quand même, à chaque aurore où j'ouvre les yeux sur le décor de ma chambre, choisie au-delà de la cellule où on avait cru m'emmurer.

« Je marche, Julien... »

La planque s'arrondit, je ne m'encombre que de pognon, je calcule : bientôt, j'aurai assez pour acheter quatre murs, je... Mais il faut que je reste dans cette chambre d'hôtel à frimer le téléphone, jusqu'à ce que Julien revienne et encore une fois me délivre.

Je ne lui forcerai plus la main, je ne veux plus qu'il chiale devant moi...

— Tu chiales, Jean?

— Non, je suis un peu enrhumé...

J'ai été particulièrement affreuse ce soir : j'ai refusé de manger dans les bouts de papier du traiteur, j'ai trouvé les draps sales et l'eau du robinet tiédasse... Allongés, dix centimètres de vide entre nous, nous nous évitons :

172

Jean fuit mes paroles et je fuis ses mains. Il m'aime et cela m'encombre, moi qui n'aime que son lit. Mais plus je gueule, plus il s'efface, plus il fond en patience et en gentillesse... Alors j'ai honte, pour m'encourager j'ingurgite le fond de la bouteille qui, depuis que je viens ici, trône en permanence sur le cosy maniaquement épousseté et rangé, et je décide d'être chouette. Les yeux fermés, j'accepte Jean, je reconnais sa douceur et son savoir, j'imagine le bonheur qu'il devrait me donner et sous lequel je passe, la figure serrée de peine, Julien, Julien...

Chapitre douze

« Ne cherche jamais à venir chez ma mère, ne bouge pas de Paris, attends-moi, je reviendrai toujours » : tant pis, je vais oublier ces mots prudents et aller aux nouvelles. Je rôderai autour de la maison, sans me montrer, et si Julien est là je saurai bien renifler sa présence. J'ai le numéro de téléphone qu'il m'a laissé à la gare : je chercherai l'adresse correspondante et je m'y rendrai. Même si je tombe en plein dans la soupe : il y a un coup dur quelque part, ce silence me le crie, il faut que je sache.

175

Je prends le train, les mains vides, les poches légères : juste mon billet et quelques billets de banque. Ce soir, je serai de retour, avec ou sans Julien, mais en tout cas avec des nouvelles de lui.

Je m'assoupis sur l'oreiller de moleskine, au martèlement du train, regardant à travers la vitre le paysage lisse et morne, le défilé basculant et fluide des fils télégraphiques. Cine revient s'asseoir à côté de moi : l'itinéraire est le même, mais ce matin la pluie ne cingle pas les adieux à Paris, le soleil est câlin, prometteur, libre, Cine est morte et Julien est vivant.

Voici la ville : infailliblement, je m'y guide, j'atteins la maison de la Mère. Il est dix heures trente, c'est convenable : les mômes sont à l'école, Eddie au travail et moi je n'aurai pas l'air de m'inviter à déjeuner. Je pousse le portillon du jardin, je vais coller le nez à la porte vitrée de la cuisine : je me revois, ensanglantée et tremblante, sur la chaise devant le fourneau; mécontente, gavée de poulet et de sommeil, au repas de Pâques; là-haut aussi, à la fenêtre de la chambre, je suis : ici est ma plus longue, ma meilleure maison.

— Madame!...

La Mère vient de sortir, le panier à salade à la main; elle s'apprête à encenser le seuil. En m'apercevant, elle s'arrête à mi-geste, ahurie, puis son sourire s'ouvre en même temps que ses bras; et instantanément, notre amour pour le même homme crée d'elle à moi un fil de compré-

176

hension et d'angoisse : Julien, mon homme, son fils. Julien est entre nous et tient nos mains unies.

— Pardonnez-moi d'être venue, c'est très risqué, je sais... Mais je suis morte d'inquiétude : où est-il ?

Et la Mère se met à pleurer, à grosses larmes silencieuses : elle est toute petite, à peine moins que moi, et comme l'âge la courbe un peu je n'ai aucun mal à l'entourer de mes bras. Elle a porté Julien dans son ventre, Julien est encore un peu elle et, de même qu'il est mon homme et mon frère, ainsi sa mère est la mienne, ma sœur, maman.

— Qu'y a-t-il, ma... madame ?

— Julien a écrit, avant-hier : il est à X..., arrêté, une fois encore... Il ne donne pas beaucoup de détails : la censure... Ginette est allée voir le juge d'instruction pour chercher un permis, j'irai le voir samedi : c'est presque toujours le samedi, le parloir... Je ne sais même pas s'il y a encore droit tous les jours, ou s'il est déjà jugé, rien.

— Mais... ça s'est passé quand ?

— Deux semaines, sans doute : ça fait deux dimanches qu'il n'est pas venu, et il vient toujours le dimanche, même cinq minutes. Quand il peut...

(« Dehors, on peut beaucoup de choses... »)

On m'oblige à m'asseoir, à déjeuner. Les mômes babillent, tout heureux de voir cette dame qu'ils reconnaissent confusément, mais dont ils ignoraient qu'elle eût des jambes, et un sac, et des bonbons dedans. Sous leur rire, il y a l'épaisseur de notre souci. Je suis près de la Mère, notre amour est de même qualité; mais Ginette... « Le frangin est encore au chtar, il va falloir reprendre des habitudes, le chemin de la poste guichet mandats et celui du parloir, qu'est-ce qu'on va bien pouvoir se dire? » Ginette ne parle pas, mais j'entends ses pensées...

Maladroitement, j'essaie de placer mon fric; on me répond :

— Ne vous en faites pas, il est bien assisté.

La pension de la mère, la paye du beau-frère, ne suffisent pas à expliquer le « bien »; et d'ailleurs, il y a quelqu'un d'autre que la famille et moi dans cette pièce, quelqu'un qui se glisse et s'impose, l'ombre passe... Pourquoi cette réticence? Ils doivent bien se douter que je suis la maîtresse de Julien, non? Qu'ils me dissuadent de lui écrire, c'est normal : même s'il est encore prévenu, on ne sait pas de quoi, et mes bafouilles n'ont rien à faire sur le bureau du juge d'instruction; et s'il est condamné, il n'a plus droit qu'aux lettres de sa famille. Mais un mandat? Un talon renforcé et unique, pour n'intriguer qu'une fois la censure, un talon en souvenir de mon pied, mon pied en or?

Évidemment, je pourrais leur laisser de l'argent qu'ils enverraient sous leur nom : ce serait « effacé et délicat »... Mais je ne suis ni effacée ni délicate, j'ai l'orgueil des amantes, et faire parvenir à Julien du pognon falsifié ne

178

m'intéresse pas : à tous les sous que Julien a claqués pour que je marche, je ne veux répondre que par les miens, si toutefois il est possible de répliquer avec quelques sacs pénibles au miséricordieux amour... (« Tu ne me dois rien, drôle de petite bouille! C'est moi, au contraire, qui suis débiteur. » Oui, Julien.)

Dans le train qui me ramène à Paris, je gamberge ferme : avec l'avis de recherche lancé contre moi, le risque est toujours le même, que je tapine, que je vole ou que je fasse simplement du lèche-carreau : n'importe où que je me pointe, n'importe quoi que je fasse, je suis en faute. Parce que je suis là, au lieu d'être en taule.

La taule, c'est mon droit chemin.

Julien y est retourné à ma place : j'enfile les manches de sa peine et, sous cette armure, je continue ma route et la sienne; nous allons l'un vers l'autre, par des voies étranges...

Je ne sais pas travailler à sa manière, mais je lui demande de me prêter la force et la maîtrise qu'il a laissées, inutiles, au vestiaire : infuse-moi ce dont je manque, Julien, protège-moi. Comme naguère, lorsque la nuit ne te ramenait pas et que je guettais, la tête et le cœur pleins de sursauts, ainsi je guetterai mon propre retour. Et tout ce que je sais des hommes, je l'emploierai contre eux.

Les histoires des michetons m'assomment, mais parfois l'attention en accroche des lambeaux, les renforce et les précise. Ainsi, j'ai noté dans mon calepin le numéro de téléphone d'un type intéressant : il est comptable, manie beaucoup d'osier, non seulement pour le compter et l'enliasser, mais aussi pour le transporter dans les deux sens, à la banque et au bureau. Cette chaîne de biftons est pour lui ce que la brique est au maçon : il lui suffit d'en toucher à la fin du mois une petite parcelle, pour se faire vivre et s'offrir, de temps en temps, un moment avec des filles comme moi.

Je comptais remettre sa fiche signalétique aux doigts de Julien, j'avais rêvé de ligotage, braquage, opération-surprise : toujours cette Série Noire... Mais si je remplace le jour par la nuit, le flingue par une clé... J'entre en douceur dans les bureaux déserts, je tombe la veste, je visite le musée des machines à écrire emmitouflées et des classeurs sages... Ouais, j'emplâtre les vingt ou trente sacs du fond de caisse et je ne peux plus jamais y revenir. Bah, essayons quand même :

— Je m'ennuie de vous...

Il paraît que j'ai une voix beaucoup plus prenante au bigorneau.

— Ça me dit... Non, pas samedi, je vous dis que ça me va, mais attendez que je vous trouve un coin...

Ne pas avoir l'air empressé, faire mine de lui donner la préférence sur un tas de rendez-vous :

— Je peux me libérer pour ce soir, si cela vous convient ?

180

C'est dimanche, la terrasse et la rue flânent. Je suis attentive, professionnellement questionneuse et gentille; je me suis maquillée en petite fille, pendant qu'il parle j'examine un ongle ébréché, je n'ai d'autre souci :

— Mon chou, vous avez l'air fatigué, ce soir? Pourtant, je vous ai appelé exprès aujourd'hui, pour que vous n'arriviez pas avec vos comptes du jour et votre air d'après le bureau. Qu'est-ce qui ne va pas?

— Ça va, ça va, dit le type, seulement, mon dimanche!... Je l'ai passé à travailler. Oui, ces fins de mois, une comptabilité terrible! Enfin, ça y est, j'ai fini. J'avais l'intention de coucher ce soir au bureau, à cause de l'argent; mais après tout, j'y serai demain à la première heure, et je serai revenu de la banque avant l'arrivée du patron. Je ne peux quand même pas vous emmener au bureau... Voulez-vous venir chez moi, ou préférez-vous que nous allions à l'hôtel?

... Au milieu de la nuit, je m'assure que le type dort bien et je me faufile hors de la villa, la clé du bureau en poche. Je laisse mon sac en otage, au cas où il se réveillerait avant l'heure : une course que j'avais oubliée, mon chéri.

Le temps de trouver un taxi qui me dépose dans les alentours du bureau, de grimper quatre à quatre l'escalier où le bouton automatique m'a fait enquiller sans recourir à la pipelette, et j'introduis la clé minuscule, redoutable clé de serrure à pompe, j'enfonce, je tourne... Ouf, une heure ou deux de gagnées sur l'effraction.

Aucun tiroir n'est fermé. Dans celui du comptable, je rafle la « petite caisse », quelques mille, et je poursuis mes recherches. Petit vicelard, il a mis l'argent dans un bout de papier gris entouré d'un élastique, tout au fond d'un tiroir plein de vieux dossiers. J'en déchire un coin, les biftons apparaissent, crissants et propres, des sous neufs... Je ne les déballe pas, j'enfouis le paquet dans mon corsage et je me redresse, un peu soûle. Pas possible que ç'ait été aussi simple, quelque chose va m'arriver... non, les bureaux continuent à dormir, rien ne bouge dans l'immeuble ni dans la rue. Le plus délicat reste à faire : simuler une effraction, pour couvrir le type en même temps que moi-même.

Derrière le bureau du patron, je découvre un réduit, un coin-toilette, avec un lavabo et des patères, dont le vasistas donne sur une rue étroite et ferme par un carreau dépoli. Le verrou du vasistas est mis. J'ouvre la vitre : la nuit vient à moi, je respire le grand silence où seul cogne mon cœur, sous le chaud molleton de l'argent. Sous le lavabo, il y a un seau et une serpillière : je m'enroule la main gauche dans la serpillière, j'y appuie la vitre, j'écoute encore... d'un coup sec du soulier que je tiens dans la main droite, je frappe au milieu du carreau : il s'étoile, presque sans bruit. Un à un, je détache les fragments de verre et je les pose à mesure dans le lavabo, sur l'essuie-mains déployé; je râcle les murs, dedans et dehors, pour tracer la grimpette et la chute;

182

je dispose les morceaux du carreau, en pluie, sous le vasistas, et je raccroche le torchon après l'avoir secoué.

Je referme la porte et je m'en vais. A toute allure et à l'envers, je refais le trajet de tout à l'heure, la porte de la villa fléchit sous ma poussée, bon : mon amant a bien dormi. Il dort, rêvant d'additions. Je remets la clé dans sa poche, je cache l'osier dans mon cabas : avec sa discrétion naturelle, il n'aura pas l'idée d'y fouiller pendant mon sommeil, car... je tombe de fatigue, l'émotion m'a ratatinée, il faut que je dorme, que je dorme... Non, le réveil va sonner, attention, je dois tenir jusqu'au matin. Je me glisse dans le lit et je reprends la nuit où je l'avais laissée. Soyons pute, disons : « Chéri... » Le gars me serre contre son buste maigre, tout son système pileux bandé et le nez frémissant il me dit qu'il m'aime, que je suis une petite fille de joie pas comme les autres, que le turf ne me va pas et qu'il est prêt à tout pour m'en sortir :

— Tu habiteras ici, je suis seul. Tu feras ce qui te plaît, même le tapin si tu veux, mais... pourquoi continuer ce vilain métier? Je te donnerai tout ce que tu voudras...

— Et mon Jules, tu l'oublies? Et tu tiens à tomber comme mac, si les flics apprennent que je vis avec toi? Non, mon chéri, impossible : tu ne sais pas ce que c'est, la loi du Milieu...

— Mais je t'aime...

Hier Jean, aujourd'hui ce mec! Qu'ils sont donc

encombrants avec leurs « Je t'aime », qu'ils sont loin de l'amour!

Je souris à la pensée que je mouille cet homme en recélant dans son propre appartement l'argent volé dans son bureau, et je me demande comment il pourrait bien s'en tirer en cas de perquisition impromptue : complicité, recel de malfaiteur, plus... Plus mœurs dépravées, si je me décide à dire toute la vérité sur les façons d'un comptable, même expert et apparemment puceau.

Et maintenant, comment me défaire de ce pognon?

Il gonfle mon sac, comme une hernie périlleuse; j'ai beau dépenser et ne plus gagner, la bosse ne diminue pas assez vite. J'ai la sensation qu'elle attire les regards, que les passants ont pour ma bosse les yeux du flic, comme ils avaient les yeux de l'amateur de belles guibolles, alors que je faisais faire les premiers clopinements à mes chevilles non-pareilles.

Je ne peux pas laisser ça à l'hôtel, où tout ce qui ferme peut être ouvert en mon absence; ni à la banque, ni à la consigne comme dans mes Série Noire; et qui m'aimerait assez, ici, au monde, pour ne pas me préférer un paquet de pognon, volé une fois, volé deux fois, quelle différence?

... Je regarde Annie, avec ses yeux clairs et longs, ses yeux de pute qui se dit truande, ses yeux de mère et d'amie... Depuis quelque temps, je fais chez elle Noël au mois de mai : j'ai apporté à Nounouche le

184

cheval mécanique, l'outsider préféré aux chevaux hygiéniques du Luxembourg, les seuls que je pusse lui payer,
avant... Et Nounouche, avec le cœur de sable des mômes,
a oublié qu'avant elle me traitait comme une de ses
petites voisines et me griffait le cœur avec sa cruauté
enfantine, sans que je puisse lui répondre, la battre ni
lui expliquer. Maintenant, c'est tout juste si elle ne me
voussoie pas. Lorsque je l'emmène en balade, elle marche
à côté de moi, sa menotte sage dans ma main, elle ne
s'échappe plus pour traverser et ne conteste aucun de
mes goûts : d'accord pour ce parfum pour sa mère,
oui, elle aime jouer au Monopoly, « Prends les gâteaux
que tu veux, Anne, moi j'aime tout. »
  Annie est épatée pour de bon : pas possible qu'avec
mon seul derrière je gagne tant de pognon, et Julien
ne peut y être pour rien, puisque... Mais, dans notre
Milieu, comme elle dit, section casse comme section
tapin, l'or ne vaut rien comparativement au silence;
et mon silence, tout léger et allègre qu'il soit, me capa-
raçonne de pierres précieuses. Allons-y donc :
  — Annie, ça ne vous dérangerait pas de me garder
un paquet pendant quelques jours? J'ai envie de partir
en vacances et ça m'ennuie de me trimbaler avec. Je
préfère partir sans bagages et sans but, juste pour tirer
le temps un peu plus vite, jusqu'à la sortie de Julien...
Il est en taule, je m'évade : la Côte, le soleil, dormir...
  — Mais Anne, vous êtes chez vous, ici. Laissez-moi

tout ce que vous voudrez. Même, si ça vous disait de revenir habiter ici jusqu'au retour de Julien?...

C'est ça : et à son retour je serai aussi nue qu'à son départ. Non. Annie place le paquet dans une valise, au-dessus de l'armoire, là où la mienne dormit si longtemps : l'osier est encastré entre les lettres de Dédé et d'autres liasses de papiers précieux, factures, bafouilles à conserver, jaunissures de toutes sortes.

— Voyez, là, personne n'y touchera. Je ferme la valise à clé.

Et Annie me propose de faire faire des doubles pour la valoche et les verrous, pour que je puisse éventuellement accéder à mon magot, même en son absence; elle est ma pote, toute, amicalement, ingénieusement, anxieusement.

Je n'ai que son regard au monde.

Chapitre treize

Je règle ma note d'hôtel, je transporte mes valises chez Jean :

— Voyez, j'accepte... Voilà déjà les fringues, le reste suivra.

J'ai réparti mon fric, mes fringues et moi-même en des planques différentes; inutile de se demander maintenant ce qu'auraient donné les fringues chez Annie, le fric chez Jean, ou moi chez Jean avec le tout, ou moi chez personne et le tout avec moi : c'est fait, c'est fait, je prends quelques jours pour ne penser à rien, je prends le train bleu, je... Mais sans cesse je tourne, je me retourne, je reviens me heurter là où mon cœur est enfermé : regarde, Julien, regarde la mer grise qui perce l'aube et sens comme j'ai froid, malgré l'approche de la baignade.

Hier soir, le train était bondé de gens animés, affamés, bruyants; les grappes remuantes des enfants se mêlaient aux grappes rieuses et grondeuses des adultes, les mères encombrées, les cruciverbistes solennels. J'avais trouvé place entre un liseur de roman policier et un adolescent, également lisant, mais dont l'œil dérapait vers moi. Ce matin, l'adolescent est debout à côté de moi dans le couloir, et nos mains gentiment nouées font un pont frêle de son inconnu à ma solitude :

— Si vous voulez, dit-il, on va se baigner tout de suite en arrivant? L'eau est bonne, le matin. Je passe chez mes parents, je prends mon maillot et je vous retrouve quelque part : qu'est-ce que vous en dites?

Le môme est intact, bronzé, stimulant comme un apéritif de vacances; je me sens vieille et esquintée, j'ai envie de sa jeunesse :

— Non; je vais descendre dans un hôtel quelconque, accompagnez-moi, et revenez me prendre cet après-midi. Vous connaissez un bon hôtel, pas trop cher et pas trop crado?

L'hôtel étoilé et compassé, j'en ai mon taf. Je voudrais délaisser l'ascenseur, grimper des marches qui ne seraient

188

pas échafaudées au cordeau, avec des mallons rouges et frais aux interstices chaulés, des paliers à angles aigus; les draps seraient rèches et lavandés, la fenêtre n'ouvrirait pas sur la rue : le soir, des odeurs d'ail et d'oignon monteraient vers moi, avec le remuement de la cour intérieure et la respiration sourde de la mer. Ce serait la Provence des cartes postales, avec ces mêmes couleurs qui prennent réalité et relief à mesure que nous marchons, l'adolescent et moi, de cette allure traînante, appuyée aux hanches, propre aux gens sur la côte, l'été.

Ma chambre est telle que je la voulais : j'y passe une heure ou deux. Les volets tirés laissent filtrer une piste dorée où flottent, comme de minuscules grains de sable, insectes et poussières.

J'ai joué avec le garçon; nos corps ronronnent, vides et souples. Tout à l'heure, peut-être, nous aurons faim et soif à nouveau, nous descendrons vers la pénombre boisée du bar, ou bien nous irons nous recoucher sur la plage. Nous nous dirons à demain et moi, demain, je serai disparue dans une autre foule de baigneurs, seule ou avec un autre, mais toujours isolée dans mon cercle ou mon rectangle, avec l'innocente et clémente beauté de l'eau et des pins; pas à pas, je vais vers mon été. J'y arriverai prête, je ne m'attache ni ne me précise, pour pouvoir me modeler à la forme qu'aura alors mon amour.

A nouveau je marche, mes pieds sont ocrés de poussière,

et les gens que je côtoie m'enveloppent, me portent, me bousculent sans me gêner, comme des vagues; je marche, passive, ni gaie ni triste. L'ardeur du soleil s'emmagasine en moi, sans irradier encore : je remonterai bientôt vers les froidures, j'aurai besoin de mon stock.

Avec ma patte, je ne peux plus marcher sans semelles; la plante du pied est dure et cornée, mais elle est devenue sensible comme une muqueuse, la moindre poussière de caillou la perce de douleur. Ma jambe n'est plus la demi-base sûre de mon équilibre, chaque pas est un simulacre, une chute rectifiée; que je cesse de penser à ma démarche, et aussitôt je me surprends à clopiner et à poser le pied de travers, sous l'angle laissé par le moule de plâtre « en léger équin », disait le dossier.

Marche droit, Anne : si l'on te reconnaît, si l'on te questionne, jamais cet accident ne doit transparaître, ta patte menace de prison ceux qui l'ont sauvée. Mais... comment se rappeler la prison, ici? Comment même y croire? Ici, tout le monde semble déguisé, et la police omni-présente laisse tranquille la foule à laquelle je ressemble, avec mon chapeau de pacotille et mes lunettes noires.

Dès huit heures, je descends à la plage, et j'y reste jusqu'au soir, ne décollant de mon rectangle d'éponge que pour aller faire trempette : je nageouille, pas très loin, et je reviens me jeter sous le soleil, à plat dos ou à plat

190

ventre. Vers sept heures, lorsque l'eau devient plus fraîche et que les garçons commencent leur ronde, cherchant une danseuse ou une dîneuse, je m'en vais. Je prends une douche pour chasser le sel, je me rhabille et je remonte, un peu meurtrie, gavée de l'odeur et des clapotis de la mer. En ville, je fais mon marché. Je n'ai jamais aimé m'attabler seule dans un restaurant : ici, comme à Paris, j'achète des trucs dans des bouts de papier et je les grignote dans mon lit, avec un Kleenex pour tout couvert, en lisant; des trucs crus, des trucs à cuire que je ne cuis pas, de la viande hachée poudrée de poivre et des fruits par kilogs, arrosés de café Méta. Lorsque Julien me reviendra, si jamais nous vivons et mangeons ensemble, je me souviendrai de mon Cours d'Enseignement Ménager, je confectionnerai des repas civilisés, décorés, mijotés; mais Julien est en taule, moi en cavale et le bonheur bien loin.

De Nice, je téléphone à Jean :

— Viens me chercher au train, je rentre demain matin.

Tenue par ce rendez-vous, je suis bien obligée de prendre mon billet; autrement, je resterais bien là jusqu'à l'automne, écroulée, oisive... Secoue-toi, fille, tu es assez noire, tes dents ont blanchi dans ton sourire, et lorsqu'ils t'abordent les gens demandent : « Parlez-vous français? ». Julien ne retrouvera pas l'enfant pâle de la première nuit, je serai négresse et belle et je lui plairai comme une femme neuve. Même la cicatrice de mon pied qui a bronzé... Ma dissymétrie? Pff, je suis une charmante mulâtresse un peu boiteuse, voilà tout. Personne ne verra les triangles blancs laissés par le bikini, personne ne saura que je viens de l'ombre et que j'y retourne.

Jean, qui a fait des déplacements à Madagascar, m'appelle « ma petite Antandrouille », les putains me font fête : « Oh la belle noire! » et moi, pour entretenir mon hâle, je prends chaque matin le métro Lilas en direction de la piscine des Tourelles. Jusqu'à midi, je regarde s'exercer les plongeurs professionnels, les championnes de crawl virer indéfiniment de bord leur aller-retour, je fais moi-même quelques brasses... Des garçons, là aussi, tournent autour de mon pain d'épice, des garçons pâles pour lesquels je m'invente une mère qui fait de la bonne tambouille, et qui ne lésine pas sur les taloches si on tarde trop à venir y goûter. J'ai aussi une profession, sténo-dactylo, je prends mon boulot à quatorze heures : excusez-moi, il faut que je parte, maintenant.

L'autre jour, en sortant du bar de Suzy à une heure où j'étais sensée taper sagement à la machine, je me suis trouvée nez à nez avec le maître-nageur... Moi, je suis attentive à chaque visage, à l'expression que je donne au mien, à chaque pas que je fais dans Paris; mais le gars, lui, ne m'a jamais vue qu'en maillot et n'a pas dû me reconnaître. J'ai quand même passé la veillée à construire une explication plausible pour le lendemain; mais les phrases assemblées ne m'ont pas servi, le maître-nageur ni moi-même n'avons fait aucune allusion à

192

notre petite virée dans le quartier galant, et nous avons passé la matinée à nous baratiner gentiment, comme d'habitude. Je lui dis :

— Bientôt, vous ne me verrez plus aux Tourelles...

— Oh, quel dommage! Vous allez quitter Paris?

Oui : voici un mois que je suis allée voir la Mère, Julien doit être jugé maintenant. Il faut que j'y retourne, pour savoir sa date de sortie. Le fil de protection s'émousse, la provision de soleil diminue, je vais me recharger.

D'abord, recharger le morlingue chez Annie.

... Annie a le désarroi trop manifeste : les phrases qu'elle bredouille dans une bousculade bien ordonnée ont dû être répétées devant la glace. De sa bouche chevaline, les mots coulent comme les nœuds d'une corde : impassible, j'enroule la corde, en la halant doucement lorsque le dévidoir se coince. Je ne ressens ni surprise, ni affolement, juste un peu de tristesse avec une vague envie de dégueuler qui se pelotonne derrière les côtes. Je fume et je respire, régulièrement, air, fumée, air, fumée, je respire ma pipe, je m'y accroche.

Nounouche est immobile devant le buffet, un pied sur l'autre; elle attend le laissez-passer de mon sourire pour se jeter sur moi, sur Anne retrouvée sous la peau noire, escalader ma chaise et fouiller mon sac; mais je ne lui souris pas. Nounouche est la fille d'Annie, un rapetissement, une promesse d'Annie, ses yeux cernés et pleins d'images sont déjà ceux de sa mère. C'est à Annie que va ma gaîté, car la mort d'une amitié adulte, c'est beaucoup moins grave que la mort de Nounouche.

Lorsque je sens le dévidoir à moitié plein, je demande :

— Mais comment a-t-on pu entrer? Vous êtes toujours là la nuit, et le jour l'escalier est plein de monde.

— Eh bien... je pense que ça s'est passé pendant qu'on était au cinéma. Maintenant, sans vous, les soirées semblent longues, vous savez... Et il fait tellement bon le soir! Nounouche ne veut pas dormir sans moi, elle a peur que je ne rentre pas, que je sois emmenée à l'hôpital comme son père... alors, je l'emmène. Plutôt le samedi, pour qu'elle puisse dormir tard le lendemain : cette année, il faut qu'elle suive à l'école, pas vrai?

— Dis, m'man...

Je remets la conversation sur ses rails et, enfin, Annie commence à débiter plusieurs nœuds à la fois et à s'étrangler. Pour compenser, elle se fait venir quelques larmes, ce qui abîme son rimmel et accroît mon envie de rire. Je me lève, je vais ouvrir la porte, je fais jouer les verrous et la clé, restée comme toujours dans la serrure, du côté intérieur : les verrous sont intacts, bien sûr. Par contre, la serrure centrale — une petite serrante sans force ni complication — porte des traces d'effraction. Les paroles d'Annie le dernier soir, et tous les autres où elle se couchait la première, se forment sur mon

194

tympan : « Oubliez pas de fermer les verrous, surtout... »
On tournait aussi la clé, parfois, mais machinalement :
la porte, sans les verrous, ne nous semblait pas sûre.
Je me redresse et je dis :

— Mais cette serrure n'a jamais été forcée, voyons!
Ces coups de lime ou de je ne sais quoi, c'est du bidon,
du mauvais ciné! Ben Annie, entre ça et les westerns,
vous avez été gâtée, cette nuit-là.

Annie se penche à son tour pour ausculter les bles-
sures de la lourde; ça dure un moment, puis elle tourne
vers moi un visage complètement ahuri : ce coup-là
elle n'y pige plus que dalle, mais alors, si on est entré
avec les clés... Elle réfléchit avec force, passe en revue
tous les gens auxquels, voici des années, Dédé et elle
confiaient leurs clés et qui (en admettant qu'ils aient eu
à l'époque l'idée d'en faire faire des doubles) profite-
raient maintenant de ce qu'elle est seule, pour... Pauvre
Annie, elle n'est guère douée pour l'improvisation. Je suis
vexée qu'elle ait pu penser une seconde que j'avalerais
un si gros pavé sans moufter; mais elle se donne tant
de mal pour en rajuster les débris, que je finis par prendre
part :

— Bon, n'en parlons plus...

Les yeux d'Annie s'éclairent de quelques tons.

— ... Rendez-moi ce qui reste et oublions qu'il y en
avait davantage. Car je ne pense pas qu'on ait tout
chouravé?

Telle que je connais Annie depuis une heure, elle n'aura pas eu le toc de tout prendre : même dans la saloperie, elle aura bâclé le travail. Demi-remords ou demi-trac, en tout cas la chose est à moitié faite. Quel gâchis! Pour gagner quelques centaines de sacs, on paume les millions de l'avenir, on se paume soi-même...

Annie fourrage dans l'armoire de la chambre, revient avec un paquet de papier journal qu'elle jette sur la table, elle s'affale sur sa chaise en même temps que le paquet s'affale entre nous :

— Je suis complètement bouleversée depuis cette histoire, dit-elle. Regardez, je n'ai même pas eu le courage de remettre un peu d'ordre, « ils » ont tout retourné...

Comme la piaule est toujours en désordre, je n'avais pas remarqué l'agencement du fouillis : mais c'est vrai, aujourd'hui ça fait perquise au lieu de faire sédimentation...

— ... Ni même de compter : d'ailleurs, je ne savais pas ce que vous m'aviez laissé exactement.

Annie tapote son cran, se redresse, et reprend, de sa voix habituelle :

— Vous comprenez, après votre départ, j'ai ressorti l'osier de la valise et je l'ai caché ailleurs; je l'ai changé de place plusieurs fois, je ne trouvais jamais la planque assez sûre : vous savez que Nounouche est toujours à grimper et à fureter partout. Finalement, j'ai fait plusieurs paquets que j'ai mis dans des endroits différents...

— En somme, vous sentiez arriver la patate?

196

— Non, mais il me tardait que vous reveniez, Anne, je vous assure. J'aime mieux planquer dix mecs en cavale que l'argent des amis.

— Ça fait pourtant plus de volume...

— Oui, mais ça n'attire pas les voleurs.

— Ça attire les poulets, c'est pas mieux...

— Oh, eux, pour franchir ma porte!... Mais au fait, Anne, dites-moi combien il manque : dès que Dédé sera sorti, nous vous rembourserons, ma parole. Après tout, conclut-elle en retrouvant son ton maternel et expérimenté, le fric, y en a au coin de la rue, il suffit d'aller le chercher... Si vous n'êtes pas à la minute?... Il vous reste ça en attendant, et puis Julien sera bientôt là, allez.

J'ai fini de mesurer la brèche : je remets dans leurs plis le reste des liasses et l'enveloppe de journal écornée. Ainsi, sur le lino de la table, le lino des ripailles et des confidences anciennes, mon pactole semble sans valeur, sans autre mystère que les ficelles de mots imprimés qui le cernent, réseau sale et sans signification : le journal d'hier, ou du mois dernier, des mots éventés cachant du beau pognon lisse. Le reste, Annie le convertira en cantine pour Dédé ou en steak pour Nounouche : la fin purifie les moyens. Il ne me reste plus qu'à m'enfuir :

— Allez, à plus tard, Annie. Et ne vous bilez pas pour si peu : comme vous dites, Julien sera bientôt là. Dédé aussi, vous verrez. Ils s'occuperont de cette affaire beau-

197

coup mieux que nous. Vous, vous êtes ma pote, je ne sais pas compter avec les potes...

Je rentre chez Jean : la maison de Julien est trop lointaine, le train est moite, et j'ai envie de dormir, de boire, de rire.

Pourtant, c'est en chialant que je monte les marches du meublé, le cœur et les pieds également nus, les tatanes à la main.

J'avais accepté d'habiter chez Jean parce qu'il m'avait dit s'absenter souvent en déplacements professionnels, sur des chantiers aux quatre coins de France : devant les premiers verres, dans les premiers taxis, nous n'avions guère d'autre sujet de conversation que nos activités, et Jean ne parlait que de ses voyages; je l'y suivais grâce à des souvenirs de lectures et promettais de l'accompagner... Hélas, depuis que je viens ici, Jean n'en bouge plus : il se fait remplacer, prétexte des maladies et est, réellement, très fatigué. Ce soir, dès que j'ai franchi la porte, sa présence me cerne; non tellement lui-même, assis dans un coin sans relief, mais l'étalage de son petit décor, de ses rangements méticuleux qui ont englobé mes affaires avec les siennes dans un ordre sans défaut; même les parcelles d'uranium nageant dans des loupes sphériques, les roses des sables et les tablettes de quartz rapportées des chantiers d'Afrique, ont perdu, ainsi alignées, toute radiation et tout éclat. Mon électrophone, dont le couvercle sert à entasser les disques, est voilé d'un torchon, tout propre; mes fringues et mes souliers sont entre-lardés avec ceux de Jean dans l'armoire que surmonte un gros bouquet de roses en plastique. J'aperçois sur la tablette de la cuisine-placard plusieurs petits paquets, les uns crissants — les gâteaux —, les autres commençant à se graisser et à couler — les trucs du traiteur. A la vue de ces préparatifs, des yeux interrogateurs de Jean, je fonds en hoquets, je marche jusqu'à lui et je me laisse entourer de ses bras, embrasser et lisser les cheveux.

La chemise de Jean sent la lessive, la sueur savonnée; il continue à me caresser la tête, machinal et appliqué, en répétant :

— Mais qu'est-ce qu'il y a? Qu'est-ce qu'on t'a fait, dis? Je ne t'avais jamais vue pleurer!...

— Eh bien, tu pourras plus le dire. Ça te plaît, hein, de me voir caner!

— Mais non... Je suis là, je t'aiderai, dis-moi...

Je jette sur le divan le journal sale : les billets, épinglés par dix, glissent jusqu'au sol comme un jeu de cartes, triomphe, Rolande... Ce serait le moment, tiens : avec quelques mois de retard, à ma cheville près, je suis telle que je me rêvais pour ce rendez-vous. Seulement, il y a ma cheville.

M'être amochée aussi salement, avoir été si miraculeusement rescapée et rafistolée, c'est un signe, le prélude et la condition de quelque chose, une chose beaucoup

199

plus importante qu'un amour frelaté éclos en cabane et à demi-mort d'oubli.

Jean ouvre des chasses comme des soucoupes : il n'a pas dû voir souvent autant de braise éparpillée sur sa descente de lit. Je pousse les dernières liasses pour qu'elles tombent par terre avec les autres, je mets un disque sur le plateau de l'électrophone, je pousse la puissance au maximum pour embrouiller les logeuses et je dis à Jean :

— Viens t'asseoir! Tu marches, tu tournes, tu vires... C'est « ça » qui t'excite? Peuh, moi, ça me fait pleurer, tiens.

Je pose mes pieds sur les billets, je laisse Jean reprendre le lissage de ma tête, et je raconte, tout : ce qui s'est passé depuis mon retour de la côte, je remonte avant la côte, avant lui, Julien, la patte brisée, l'évasion, la taule, les Assises. Un long silence s'installe, la main de Jean interrompt son va-et-vient et reste, lourde, sur mon épaule. Je reprends :

— Tu sais, tu n'as qu'un mot à dire, et je refais ma valise : après tout, toi aussi, je te mouille... Moins que les autres, bien sûr : tu es... tu es mon client, et, pour le fichier des meublés, je n'existe pas. Mais comment raconter que je n'habite pas ici? Il y a les affaires dans l'armoire, ma photo...

Je me penche en arrière pour arracher du cosy la photo qui me représente, en maillot de bain, sur la

200

plage : une photo d'ambulant que j'avais envoyée à Jean depuis Nice, pour relais jusqu'à mon retour :

— Tu n'es pas fou de garder ça? Je suis en cavale, tu comprends bien ce que ça veut dire?

— Mais, petit, dit Jean, je ne le sais que depuis cinq minutes... Attends un peu, laisse-moi avaler tout ça... Tu es tuante, tu sais?

Et sa main reprend, sur mon bras cette fois, sa caresse. Lorsque Jean parle à nouveau, sa voix est inconnue, précise, dure :

— Ça ne change rien. Tu restes ici et, si les poulagas s'en mêlent, je saurai quoi leur répondre : je n'ai rien à cacher, et toi... toi, je ne te cacherai pas non plus. Y en a marre de grimper sur les chaussettes, dès demain je cherche une piaule où nous serons déclarés tous les deux. Qu'est-ce que tu veux qu'on me fasse? Tu as des papiers en règle, tu m'as dit?

— Oui : fabriqués de toutes pièces, mais pour une fiche, ça peut passer.

— Bon. D'ailleurs, on mettra un baratin bien au point. Et pendant que je chercherai ça, toi, tu vas aller chez ton homme voir ce qu'il en est. Non mais Anne, il est peut-être déjà libéré, il te cherche dans Paris, si ça se trouve!

Je réfléchis : l'auberge est secourable, Jean ne m'en expulse pas, pourquoi ne pas y rester? Évidemment, il faudra payer, garder les paroles et le corps aimables... Bah, je boirai un peu plus... Mais Jean reprend :

— Bien sûr, je ne te demanderai plus rien : le ménage à trois, moi... non. Et ton homme ne serait peut-être pas d'accord non plus. Tu viens ici, tu manges, tu dors, tu fais ce qui te plaît. Moi, eh bien... vois-tu, Anne, si tu veux bien revenir ici de temps en temps, même cinq minutes en passant, je serai content. Parce que je te verrai, je t'entendrai, je saurai ce que tu deviens, je saurai que tu es heureuse... Alors, ça te va ?

— Écoute, Julien n'est pas encore là, et je ne suis pas sa femme. Je pourrais dire non, à lui, à toi, à tout le monde. Depuis mon évasion, je n'ai été que « le colis », et voilà que, toi aussi ! Tu veux me porter ! Oh, Jean, je voudrais partir, retourner à la mer, être seule, seule, mourir...

Je sanglote. Jean attend que j'aie fini, puis il me propose de sortir, il faut que je me change les idées, ce coup d'Annie m'a foutu le bourdon, mais :

— Viens, sortons, on ira où tu veux... Dis, Anne... Et arrête de pleurer, tu ne peux pas savoir ce que ça me fait.

— Non : on va ranger les petits paquets, et puis dormir.

Une partie de moi dort avec Jean, se réveille au réveil de Jean et retrouve Jean le soir. Quelquefois, je lui téléphone à son travail pour lui dire que je viendrai

202

e chercher, et je fais pour le rejoindre de mortels trajets de métro : c'est plus long que le taxi. Pour étirer le temps encore davantage, je m'attarde avec Jean sur les boulevards chauds de foule et de soleil, je le laisse m'emmener dans des boutiques, ou dans des coins de Paris qu'il me révèle et me commente : c'est son Paris, il me l'offre. Ensuite, comme deux bons époux, nous faisons le marché, le pâtissier, le traiteur, toujours : il est rare que je touche au fourneau, la façon qu'a Jean de s'extasier et de se régaler au moindre de mes préparatifs est indigeste.

Nous avons déménagé : la chambre est beaucoup moins belle que l'autre, mais j'en ai l'accès officiel, on a effleuré mes faffes à la réception et on m'appelle Madame Nom-de-Jean. La cour est pleine de mômes, les fenêtres pleines de linge, et il n'y a pas l'eau courante; mais cette vie ouvrière, sommaire, me plaît.

Ma salle de bains est au bout du couloir, dans les cabinets : les pieds sur les patins de la lunette, je me balance des cuvettes d'eau fraîche sur les épaules, je tends les jambes vers le robinet fixé au mur d'en face, à hauteur des genoux. Lorsque je sors de là, entortillée dans une serviette, les voisins se sont amassés sur le palier, leurs récipients à la main, car cette prise d'eau est la seule de l'étage. Mais personne ne bronche : c'est le taulier qui transmet les réclamations... Je m'en moque : ma douche tue une demi-heure, je continue à la prendre deux fois par jour.

203

Le reste de la journée, je lis les livres de Jean, je feuillette ses dossiers, techniques, touristes, privés; je souris par la fenêtre aux petites frimousses de la cour, j'attends le retour de mon mari. Personne ne semble s'étonner de ma jeunesse auprès des cheveux gris de Jean, de nos mains-dans-la-main d'amoureux : je lâche la main de Jean dès que nous avons franchi le seuil de l'hôtel, il arrondit le bras, je le prends : il faut bien. Dans ce coin-là, il est normal de vivre en concubinage avec beaucoup plus vieux ou beaucoup plus jeune que soi, de cancaner, de boire, de se battre. La note exotique est apportée par deux chambrées de noirs, noires et noirillons : ils ne crient pas, ils chantent, et l'odeur épicée de leur cuisine passe sous les portes. Ce qui incite Jean à me raconter à nouveau ses colonies, pendant que j'écoute mon transistor de l'autre oreille, buvant de temps en temps à la bouteille de cognac posée par terre. Il ne dit rien, Jean, que je boive, que j'aille me balader (« Alors, on s'promène ? Vous m'emmenez ? »), que je rentre trop crevée pour avoir envie de lui répondre... Le sac ouvert sur le lit, je compte les biftons gagnés dans l'après-midi.

— Mais enfin, dit Jean, je ne te comprends pas : puisque tu as du fric d'avance, pourquoi aller risquer de te faire rafler ? surtout que tu ne les aimes pas, ces types !

— Mais Jean, est-ce que je t'aime, toi ? Et pour-

204

ant, je rentre ici tous les soirs, ou presque. Pourquoi? Parce que ça m'arrange, tu entends, parce que ça m'arrange. Mais je me moque de toi, d'eux, du monde entier. Le fric, je le garde, parce qu'il n'est pas à moi, il est à Julien aussi, et nous le croquerons ensemble. Je veux tout garder pour lui, intact, avec le peu d'amour dont je suis capable...

Jean encaisse très bien, je crois même qu'il aime ça. J'en remets, je me fais froide, je bois et je m'écroule, je dors jusqu'à ce que Jean me réveille avec du café, des tartines qu'il a coupées et beurrées, sans faire de bruit, pour que je sois de bon poil en ouvrant les yeux; lui est déjà prêt à partir au boulot, habillé, rasé, sa serviette à la main. A ces moments-là, je me fais douce...

— Alors, Jean, et le turf? dis-je ensuite.
— Eh bien, je serai en retard, et alors?

Pension douillée pour vingt-quatre heures : je pourrai aller me promener, tantôt et toute la nuit si je veux. Mais je découche toujours aussi peu : ma patte a chaud, elle a soif de vieilles savates et de draps frais, et moi j'essaie de m'arrêter aux limites de toute occasion de sacrilège; si un homme a les yeux de Julien, ou s'il traîne son porte-documents comme Julien le faisait, ou s'il m'aborde avec sa voix, je me détourne et je me sauve vers Jean, Jean qui lui, au moins, n'a

205

rien que je sois tentée d'aimer : son corps ne me dégoûte pas, il est amical et sans surprise, docile, agréable, somme toute. C'est son effacement que je déteste, sa résignation, son sourire systématique où montent parfois des tics de chagrin.

Chapitre quatorze

— Vous allez rester coucher, n'est-ce pas? Votre lit
est toujours là...

Je voulais reprendre le train ce soir même, mais Eddie
insiste, je suppose qu'il a quelque chose à me dire en
aparté. J'accepte donc l'invitation.

Après le dîner, Ginette monte coucher les marmots,
la Mère m'embrasse et se retire dans sa chambre : je
reste seule avec Eddie dans la salle à manger. Il met
une pile de disques sur l'électrophone, s'assoit à côté

207

de moi et sort de son portefeuille un minuscule carré de papier sulfurisé :

— Tiens, dit-il, c'est un bifton de Julien, pour toi. N'en parle pas à la mère ni à Ginette : pas la peine de les inquiéter.

Je déplie la pelure. Avant l'en-tête, Julien a écrit : « Partie de trois biftons ». Un autre pour la famille, le troisième pour l'autre, certainement... Mais les premiers mots effacent toute question, et là, devant Eddie qui s'est renfoncé dans le divan, a fermé les yeux et sirote sa musique avec dévotion, je lis, le cœur mourant, le visage fixe de joie.

Julien commence par me donner quelques indications sur la nature de l'affaire et sur la conduite que je dois adopter selon le cours de l'Instruction : « Va voir l'avocat, c'est un vieux cochon bien propre, mais n'y va *qu'une fois*. Dis-lui que tu viens de ta propre initiative et qu'il est inutile que je le sache... Il est douillé : ne donne pas de pognon, mais propose-lui-en », etc.

En filigrane, sous ce banal délit d'infraction à l'interdiction de séjour (Julien s'est fait alpaguer en venant ici), je lis son souci d'être inculpé de plusieurs casses commis dans la région : le cas échéant... « Le seul moyen de ne plus se perdre est de ne plus se quitter : si je morfle, je me fais tout simplement la chave ; d'ailleurs, avec toi, je préfère presque la cavale... »

208

— Mais, Eddie, qu'est-ce qu'il en est, maintenant? Ce bifton est daté d'avant le jugement : vous en avez de plus récents?

Eddie hésite :

— Oui... ça, ce sont les premiers qu'on a reçus, planqués dans le premier colis de linge sale; on en a eu d'autres depuis, mais... pour vous, je n'ai que celui-là. Mais vous le retrouverez bientôt : il sort le 21 juin.

— Et quand est-il passé en jugement?

— Attendez... ça doit faire dix jours à peine, l'Instruction a traîné. La P.J. est venue plusieurs fois le cuisiner à la taule; il commençait à se faire un sacré mouron et à vouloir se tirer... enfin, tout s'est arrangé : ils n'ont rien trouvé, ni chez lui, ni dans sa guinde, ni ici.

— Ils sont venus ici?

Eddie hausse les épaules :

— Vous pensez! Comme d'habitude : perquise, la mère et ma femme interrogées... Ce coup-ci, ils ont retourné la baraque de huit heures du matin à six heures du soir, j'ai trouvé un drôle de chantier en rentrant du turf! Enfin, moi, ils ne m'ont pas trop emmerdé.

Dans ces cas-là, Eddie préfère être le père des neveux de Julien que le mari de sa frangine. A sa sortie de Centrale, il y a cinq ans, Eddie a été accueilli chez Julien et a plu à Ginette : il s'est installé, il a échangé sa peau contre du linge propre et des pantoufles; les enfants qu'il a pris, comme il dit, « tout fabriqués », l'appellent « papa » : cette adoption réciproque lui laisse le beau rôle et Eddie le joue avec adresse.

Je me demande soudain quel nom porterait mon gosse, si Julien venait à m'en faire un... Mais je déconne, jamais je n'aurai de gosse de mère inconnue, ça non! Je reprends :

— Naturellement, vous allez le chercher, le 21? Je viens avec vous, j'y tiens.

Eddie, lui que pourtant rien ne semble gêner, détourne les yeux; le silence s'épaissit et traîne.

— Un dernier verre avant de monter? propose Eddie. Écoutez, Julien m'a écrit à ce sujet, justement. Fixez-moi un rencart dans les jours suivant le 21, je le lui transmettrai. Il préfère que vous ne vous risquiez pas dans les parages de la taule, on ne sait jamais : « ils » peuvent être en frime et le pister...

— Je ne vais pas me pointer devant la porte, bien sûr! Je ne suis pas con à ce point... Mais pourquoi pas dans la ville, un rade quelconque, je ne sais pas, moi!

Et tout à coup, je me sens à nouveau exclue, accrochée comme une mendiante à la barrière, face au clan, face à l'ombre, j'ai mal... Je me redresse, je pêche mon agenda dans mon sac et je feuillette un moment. Par bonheur, il y a beaucoup de griffonnages vers le 20-25 juin : des courses, des types à voir, des numéros et des heures. Je fais mine de réfléchir, de prendre mon temps :

— Bon; je suis libre le 24 au soir : vous vous rappellerez? c'est facile, c'est la Saint-Jean... Disons, ici...

— Non, non...

— Je veux dire : dans la ville, par exemple au rade devant la gare, à... disons dix-neuf heures?

Je n'ai pas encombré trop longtemps : soulagé, Eddie reprend le ton entremetteur, bas :

— Trois jours! Et si Julien veut te voir avant? Comment te joindre?

Je ne vais tout de même pas lui donner l'adresse de Jean.

— Eh bien, il attendra. J'attends bien, moi! Oubliez pas : la Saint-Jean, Anne, dix-neuf heures.

Nous écoutons encore quelques disques, Eddie continue à me dire « tu », puis « vous », nous devons être tous deux un peu shlass.

... La Saint-Jean, c'est demain. Je voudrais vider ma tête, mes tripes et mes veines, laver et brosser indéfiniment ma peau. Je voudrais que Julien m'emplît toute, qu'il disposât de moi et fût en retour disponible, entier... J'écris une dernière bafouille, après celles de la solitude, du soleil, de l'ennui : toutes ces lettres que je n'ai pas postées, mais que j'ai conservées avec la

211

certitude qu'un jour, Julien les lira. En prison, on lit son courrier avec une attention trop intense, sélective, déformante.

Julien de taule n'est pas Julien que je connais, ni celui que je vais reconnaître; même s'il persiste à se vêtir de brouillard, celui-ci aura une densité différente. Peut-être, comme les filles de la Centrale qu'on accompagnait à la cellule des partantes la veille de leur libération, Julien aura-t-il cette expression étrangère, dépouillée, le visage de qui a posé les armes parce qu'il a fini par vaincre.

Eh, je fais bien du shproume pour un malheureux trimestre à l'ombre!... Au sortir de mes années de Centrale, lorsque Julien m'a ramassée, je n'avais pas l'air tellement victorieux... Et même maintenant, je me demande si je pourrai un jour poser les armes.

Demain, demain... Je suis comme d'habitude allongée sur le lit, le drap remonté jusqu'au cou, pour que Jean n'ait pas envie de me happer : sans mot dire, je fixe le plafond sillonné de craquelures. Jean va et vient dans la pièce, à pas lourds, il déplace des objets, en range d'autres : filmée au muet et au triple ralenti, c'est une crise de nerfs pour lui et moi. Je lui dis de venir s'asseoir et je lui lis des extraits de mes lettres.

— Y a pas, dit-il, tu as du style.

— Tu crois qu'il les aimera, mes bafouilles?

— Je voudrais en recevoir de pareilles!

212

Je me rappelle de la valeur du courrier, de l'acharnement qu'on apportait à en rédiger ou à en attendre; mais, en taule, les pensées marmonnent, les images bourdonnent comme de gros insectes captifs, on en chasse, on en capture, on en épingle, mais de toute façon on en estropie : dans les lettres, reçues ou envoyées, on accentue, on omet, on déforme... Et tu aurais voulu que je t'écrive, Julien, en cette saison où ta tête était pleine de simili-trésors? Les refus et les résolutions forgés en cabane, une heure de liberté suffit parfois à les émousser... Si je crois à tes mots, aujourd'hui, c'est parce que j'ai la volonté, le besoin d'y croire. Demain...

— Tu emporteras ta valise? demande Jean.

Il est persuadé que je m'en vais pour toujours; et, au fait, si j'emporte mes affaires, pourquoi revenir ici? Plus aucun fil ne me ligote à cette piaule : Jean m'a remis tout à l'heure le reste du pognon, qu'il me gardait dans une cachette ingénieuse bricolée exprès et où il m'obligeait à faire, de temps en temps, une visite de contrôle. L'argent est dans mon sac, la valise sera vite bouclée... Jean va se réjouir de mon bonheur, en chialant bien sûr, et sans rien faire pour me retenir : ça va être pénible. D'autre part, je ne sais rien des projets de Julien et, d'avance, je les approuve tous : il se peut que nous partions très loin, mais aussi que nous restions à Paris ou dans les environs, et pas

213

nécessairement ensemble : la trique, la cavale, le besoin de dormir et de changer de linge... Je m'assois dans le lit :

— Je laisse mes affaires, dis-je. Tu voudras bien porter mon ensemble au teinturier? Te bile pas, Jean : je reviendrai vite...

Julien, boucle-moi, ne me laisse pas revenir, empêche-moi de faire ce qui me déplaît... Peut-être saurons-nous devenir à l'un l'autre vigilants et jaloux, réagir et pleurer comme tout le monde...

Que ce réveil tourne lentement! Le drap colle à ma poitrine, m'oppresse un peu. Je voudrais dormir, être minérale, être bloc autour de mon cœur qui bondit et court devant moi : choisis-la, Julien, la route qui est moi, sautes-y à pieds joints et que je porte à jamais chacun de tes pas.

... A mesure que je verse l'eau dans le verre, au filet, le liquide monte et se trouble. C'est mon godet à peinture : je me suis amusée à passer à l'aquarelle jaune le bistrot et les tables; je laisse en blanc la veste des loufiats et le chemisier des filles, j'éclabousse de couleur le reste : gamme immobile des boissons sur les étagères, barbouillage de leurs étiquettes, foncé des bagages et des peaux brunies, clair léger des vêtements.

Ma tête tourne, je n'avais pas bu depuis trois jours. Je prends mon verre, puis je le repose : pour ce verre-là je veux attendre le tchin-tchin de nos retrouvailles.

214

Les précédents sont bus, éclipsés et rincés, et celui-ci est inscrit, intact, dans le décor dont les accessoires s'assemblent, pièce à pièce, depuis que je suis là, assise, à fixer la pendule au-dessus du comptoir. Sept heures moins cinq : dans cinq minutes, j'arrête le film. Les gens de la gare, les voitures qui se faufilent, les sifflements et les fumées de la voie proche, tout est écrin autour de moi, moi que je voudrais épingler, comme un clip, quelque part où je scintillerais. L'ombre se dilue ce soir, et le soleil m'inonde... Sept heures moins trois.

Je ne lèverai plus les yeux vers cette pendule, ni vers le va-et-vient de la porte de la terrasse. Julien va venir dans une de ces bouffées de gens, mes yeux l'attendent, baissés, aveugles; je ramène mon regard, mes mains et mes pieds, je me pelotonne, et à nouveau l'entour glisse avec les secondes, sans m'accrocher : du fluide sur du lisse, du vague sur du flou... Je suis *là*, c'est vrai : j'ai retrouvé ma route, après avoir boité et traîné dans des traverses sombres; mais toujours j'allais vers elle, aiguillée et talonnée par un orient fixe. Je n'ai pas perdu la boussole, hello! Julien.

Il regarde sa montre :

— Je crois bien que c'est la première fois que je suis à l'heure...

Il s'est glissé sur la banquette à côté de moi, avant que j'aie fini de le reconnaître. J'essaie en hâte de raccorder, de retrouver le fil du réel, mais ma tête se vide par les yeux, sans pouvoir rien lui dire je regarde Julien : et toutes les questions, toutes les angoisses et toutes les promesses se fondent, s'annulent et se réalisent dans cette seconde où nous nous regardons.

Comme un gros insecte noir et blanc, le loufiat tourne, infailliblement attiré par les tables où il manque un verre : pour lui, mon Ricard n'explique que moi; il faut que Julien existe pour le loufiat aussi, le loufiat qui rôde avec une indifférence guetteuse, maniant son plateau et sa lavette, bousculant les chaises désertées. Il est insupportable.

— Garçon! Je demande à Julien, entre parenthèses, ce qu'il veut boire, j'enchaîne « Un autre Ricard », le garçon s'en va, Julien existe de plus en plus.

Je le reconnais mal : il est pâle, des moustaches ont poussé comme un accent caressant sur le charnu de ses lèvres; son visage est reposé, comme purifié, il m'intimide comme une chose sacrée ou défendue. C'est lui, Anne, c'est ton amour, mais aussi un de ces types comme il en sort chaque matin d'une prison, comme il en passe devant la porte du bar : est-ce donc si naturel, si nécessaire, d'aimer celui-là? Cette chose qui passe et crépite de son corps au mien, quelle est-elle, d'où est-elle née?

Nous bavardons : des mots qui nous racontent, nous délivrent et accompagnent le profond muet de nos impressions. Je parle de moi et lui parle de lui : nous, c'est le

216

silence, c'est tout à l'heure. Trois mois plus trois mois, six mois de séparation, c'est long à dire : le loufiat a allumé le néon et renouvelé nos verres, mais notre fringale de paroles ne se comble pas.

Julien me raconte en détails son arrestation, les interrogatoires de la P.J., les tracs qu'il a éprouvés pour moi :

— Comme un cave, j'avais gardé ton numéro de téléphone dans mon calepin, et le calepin sur moi, comme toujours. Pas moyen de le détruire, j'avais les menottes et ils me serraient de près... Ce qu'ils ont pu m'emmerder pour ce numéro! Finalement j'ai dit la vérité : que c'était un hôtel qu'on m'avait recommandé... Ils ont sauté là-dessus : « Ah! Alors, tu vas à Paris? » J'ai répondu que je n'en avais pas eu le temps, puisqu'ils m'avaient arrêté en route... Tu penses, le mouron que je me faisais, qu'ils aillent interroger le taulier et passer les clients au tamis...

Je rigole :

— Mais chou, dès que j'ai senti la vapeur, tu penses bien que je n'ai pas traîné dans le secteur! Ils pouvaient toujours venir...

(Maintenant, Jean :)

— Oui, avant de chercher une nouvelle planque, j'ai préféré t'attendre et mettre mes affaires chez un mec. Un chic type d'ailleurs, mais ça ne me donne pas un domicile... J'arrive comme d'habitude, tu vois : sans nom, sans rien, à poil ou presque, comme le premier soir... Ah si, attends : il y a un peu d'osier, j'ai emballé ça pour tes, enfin pour nos premiers frais.

Je tends à Julien le paquet de papier gris, j'essaie que mon geste soit effleuré et naturel : c'est difficile d'offrir du pognon, presque autant que d'en recevoir. Nous le savons trop bien pour ne pas jouer chaque fois la petite comédie de la désinvolture. Je me rappelle comment Julien s'y prenait, chez Annie : il fourrait ça dans ma poche ou dans ma main en disant « Tiens, tu t'achèteras une paire de bas. » Quelle que fût l'importance de la somme, c'était toujours pour une paire de bas. Aussi, je dis :

— Tiens, pour l'essence... Et puisque je viens avec toi, prends aussi une guinde, un peu plus grande que l'autre. Au fait, où est-elle, l'autre?

— Eddie est allé la récupérer chez les lardus : ces pourris l'avaient mise à la fourrière, il a fallu que je fasse une procuration, que je demande l'autorisation au juge d'instruction... Bref, comme Eddie s'est bien débattu et que Ginette adore se faire trimbaler, je leur ai dit de la garder : ils la finiront.

— On en commencera une autre, une toute neuve...

— Sûrement pas! Une tire, on l'achète d'occasion, on a moins de regret quand on la bousille. Je retournerai à Paris, chez le type qui m'a fourgué l'autre. Maintenant...

218

Julien se soulève, ce qui fait accourir le garçon. Il prend ma veste et me tend mon sac :

— Maintenant, on se casse. Oublie pas qu'ici c'est *ma* ville et que les poulets sont aux petits soins pour moi... Il faut que j'attende un peu avant de retourner aux durs, Anne...

— Le temps de se re-blinder... Je suis blindée, ce soir; je m'en fous d'y retourner, maintenant, puisque nous étions là...

— Dis pas de bêtises et embrasse-moi : bonjour, Anne...

Occupés par les paroles d'urgence, nous n'y avions pas encore songé. La pendule a fait un tour, la nuit se devine déjà sous l'oblique des rayons de soleil; les gens de la terrasse se sont renouvelés, derrière de nouveaux verres où montent des bulles, où trempent des chalumeaux : des verres jaunes, orange, rouges, dorés.

— Pas trop fatiguée, cette patte? demande Julien.

Il y a tout un passé de gestes, de petits rites tendres créés par Julien autour de ma boiterie : dans les cohues, il me précède, pour tracer à mes pas un sillon abrité des bousculades; il me tient sous le bras, comme pour me soulever, du côté où ma démarche penche, il raccourcit ses enjambées aux dimensions des miennes...

Mais ce soir, nous sommes tous deux convalescents : ce trimestre de cabane est comme une blessure dont

219

la cicatrice nous marque et nous unit. Bien sûr, nous avions déjà passé par des bagnes autrement douloureux; mais jamais nous n'y avions soupiré, désiré, avec autant de netteté et de ferveur : nos rêves étaient vastes et mous. Pour façonner la minute de tout à l'heure, nous avons passé trois mois, cette « courte peine » qui fut notre plus longue nuit.

La maison de la Mère est au bout d'une traverse; elle finit la ville et commence le désert de la campagne, cette terre sans verdure frivole dont la chaleur reste enfouie dans les champs de betteraves et de patates. Pour rentrer, nous contournons les faubourgs par des chemins d'herbe et de flaques; les cris de la journée finissante et les jets du soleil couchant nous enveloppent avec douceur.

— Je n'ai pas tellement envie d'aller chez toi, tu sais...

Cette famille m'a assez vue : la cordialité polie de Ginette, la camaraderie peloteuse d'Eddie, me donnent envie de hurler. La Mère est pleine de sagesse en même temps que candide; Julien piétine en riant sur la contrainte générale; mais moi, j'ai l'impression de raccrocher...

Ils pensent probablement que j'ai besoin de Julien, ils ont peur qu'il ne change de dépositaire? La famille de Julien le revendique, essaie de l'isoler, voudrait lui choisir ses femmes et ses amis... et cette inquiétude possessive lors des absences dont il ne rend pas compte,

220

devient murmure lorsqu'il revient : Julien les encombre,
il amène les poulets dans son sillage et Ginette doit
se lever au beau milieu de la nuit pour lui préparer
à manger... Heureusement, Julien s'en fout :

— Je suis le fils de ma mère, non?

— Mais moi, je ne leur suis rien. Je ne veux pas les
gêner, ni être gênée moi-même. Ta mère, les gosses, je
les aime bien, mais...

— Il y a longtemps qu'ils parlent de trouver un appartement, mais ils se gardent bien de chercher! Ça les
arrange de rester chez ma mère, ça leur permet de
lui laisser les mômes et d'aller cavaler les bals... Et
ma mère... elle aime bien les enfants. Mais je lui
trouve mauvaise mine en ce moment. Je te jure que
ça va changer : on va commencer par l'emmener, une
journée par-ci par-là, pour la sortir un peu et te la
faire mieux connaître. Après, on lui trouvera une petite
baraque où elle sera tranquille et où nous pourrons aller
la voir, elle seule...

Je ne sais pas si la Mère serait plus heureuse ainsi, mais
je ne tacherai pas la sérénité du crépuscule par des propos
fous ou indiscrets. Je n'ai ni le droit ni l'envie de donner
mon opinion, d'ailleurs esquissée et indifférente. Julien peut
bien emmener la Mère, m'emmener moi-même, où il voudra : l'essentiel est que je puisse marcher encore un peu à
côté de lui, à côté ou derrière, mais que je le voie et que je le
touche comme aujourd'hui, le temps que les choses voudront.

221

— Tu vas venir, je te dis. On ira peut-être dormir ailleurs, mais avant, je veux te présenter, telle que je te vois ce soir : Anne, mon amour, mon seul...

Il cesse de marcher, je m'arrête aussi :

— Ah, reprend Julien, je ne sais pas où nous irons tous les deux, mais nous irons loin, longtemps...

Les maisons sont lointaines, la terre est sous nos pieds comme une île; invisibles, vainqueurs, des oiseaux chantent, c'est le souvenir et l'oubli de tout, c'est le soir de la Saint-Jean. Notre baiser est harmonieux comme la nature.

Chapitre quinze

La voiture n'a pas le mystère ni le dédain des pur-
sang : pour ne pas faire d'éclat, nous avons choisi un
bon vieux veau de modèle courant, sans glaces pano-
ramiques, à montants robustes; on ne s'y sent pas inti-
midé ni exposé, on est comme dans une amie. Sous
moi, la banquette ronronne.

— Sommeil? demande Julien.

— Oh là là! Morte!

Je suis allongée à l'arrière : la voiture fait juste, en

largeur, ma hauteur. Les pieds sur l'accoudoir, la tête sur des vêtements en boule, je suis bien, je flotte. Hauts de poteaux, verdures, ciel levant, les paysages se tassent au fond des yeux; je reste, sans vouloir y plonger, sur les bords d'un océan de sommeil. Je préfère rester avec Julien, regarder ses cheveux et sa nuque, comme à notre premier voyage; nous dormirons plus tard, nous avons des gens à voir d'abord, des amis qui habitent tout en haut du Pas-de-Calais et que Julien veut me faire connaître.

Hier, nous avons fait des cartons à un tir forain et gagné un tas de saletés : une poupée à paillettes se balance au milieu du pare-brise, il y en a d'autres sur la lunette, avec tout un fouillis de cartes routières, fringues, provisions...

Le soir de la Saint-Jean, avant-hier donc, nous avons passé la nuit dans le lit de la Mère, qui était montée coucher chez les gosses; et depuis... Dire que j'ai été jalouse du sommeil! Comme je l'admets bien maintenant, comme j'ai le sommeil en tête! Depuis, nous roulons : le train jusqu'à Paris, hier matin; la matinée passée en essais de voitures, en formalités, en paperasses; le déjeuner chez des amis de Julien :

— Alors, vieux, où étais-tu passé?

Chez les amis, le plat de résistance arrive après le café, sous forme de pousse-café encore-une-lichette-allez, et de bavardages interminables. A ces rires, à ces jacasses sur le bon vieux temps, je n'ai d'autre accès que l'écoute distraite, le rire à l'unisson quand je vois tout le monde se taper les cuisses, le verre et la cigarette en alternance jusqu'aux bâillements ravalés et le mal au crâne.

Dans la soirée, j'ai fait une visite-éclair chez Jean pour reprendre une partie de mes affaires : Julien m'avait prise avec ma peau, j'étais allée à lui sans le moindre bagage, mais ce don « humble et total » n'excluait pas la nécessité de changer de culotte.

Jean m'était apparu comme une chose très ancienne, très lointaine; depuis qu'il m'avait dit au revoir sur le quai de la gare, la veille, un monde était né; dans le monde où Jean continuait à graviter, je revenais avec un halo de bonheur ensommeillé. Je me sentais irradier dans le gris de la vieille chambre; les cris des enfants de la cour, la musique des voisins noirs, traversaient mes oreilles sans y prendre forme : je ne me retrouvais pas.

— Tu as les yeux heureux, dit Jean. Ce que tu as changé, depuis hier! Et puis, ça me scie les pattes de te revoir là, si tôt... Je te croyais partie pour des mois...

— Je viens me changer, c'est tout. Aide-moi, et magne, je suis pressée!

Joyeusement, je me mettais nue, je me faisais boutonner dans le dos, je faisais renifler à Jean ma peau nouvelle : non que je voulusse lui faire l'aumône, mais puisque « son bonheur était de me savoir heureuse », je l'invitais avec une mauvaise foi cruelle à constater que je l'étais, heureuse; et qu'il n'y était, qu'il ne pourrait jamais y être pour rien. Jean, mon garde-meubles, mon porte-rage, porte-manteau, porte-chance s'il y tenait (« Et treize fois merde, hein? ») : ainsi l'avais-je décrit, pour le lui faire admettre, à Julien; mais Julien n'a jamais fouillé dans ma vie, qu'importe où j'étais et ce que je faisais hier, hier est mort et nous sommes vivants; demain, les limbes de l'avenir, après tout... Que toute pensée est fatigante! Les arbres me tombent dessus, la voiture dévale des pentes sans fond, je m'endors...

— Voilà l'Océan, annonce Julien.

Aussitôt mon envie de dormir recule, et je m'assois pour regarder, tant que je peux, cette eau inconnue, refluée à l'horizon, la vérité désolée de la grève déserte, les lagons, les rochers rouillés. J'avais projeté de me baigner en arrivant, me souvenant de la Méditerranée si chaleureuse dès l'aurore; mais, sous ce ciel floconneux et gris, j'ai plutôt envie de mettre une veste qu'un maillot de bain.

Nous ôtons nos souliers, nous rapprochons la voiture au maximum, aux limites de l'enlisement. Des marches taillées dans le roc mènent à la plage : je les descends, douloureusement, ma patte fourmille à chaque éclat de pierre, je m'agrippe à Julien. Nos pieds choisissent la place de chaque pas, jusqu'au sable où, délivrés, ils peuvent s'enfoncer confortablement dans une purée gluante et froide, sable, mazout, plancton, détritus... Dans nos fringues citadines, étourdis d'iode et de vent, nous marchons, latéralement à la marée; je patauge, déconcertée par ce décor indifférent qui me poigne et me rabougrit, cette plage solennelle et morte. Julien rit :

— Alors, tu ne veux plus te baigner? Viens, on remonte, j'ai repéré une auberge, là-haut. Il faut du café, après un pareil bol d'air.

Je m'affale dans la voiture, je ferme les yeux, cette fois je ne bougerai plus... Julien revient de l'auberge, portant une tasse fumante : je bois, l'amer du café me nettoie la tête pour quelques minutes encore, puis le noir revient en masse et je m'écroule pour de bon. J'ai quand même le temps d'apprécier l'épaisseur moelleuse du repos dont rien, enfin, ne me délogera plus, puisque Julien le conduit.

... La voiture est une île, au milieu d'une autre plage, presque la même que celle de ce matin, bordée par le même océan, avec les mêmes rafales de vent sablonneux qui heurtent la carrosserie en crépitant. Dans les bras de Julien je pleure, petite rafale dans la grande, aussi salée, aussi désespérée que la mer, je chiale éternellement. Julien, tout surpris de ce qu'il a déclenché, essaie de fabriquer des mots inverses, cicatrisants; mais je ne peux pas, je ne veux pas me consoler. En prélude à cette conversation, Julien m'a dit :

— Il faut que tu m'écoutes, que tu entendes jusqu'au bout...

Et j'ai répondu que j'étais prête, qu'il pouvait y aller. Je pensais m'être suffisamment affûtée, polie, blindée; je me doutais bien de ce que j'allais entendre, mais je ne savais pas que la réalité des mots était si douloureuse, surprenante comme un coup de flingue, assommante, imprévisible; tant que les femmes, ou la femme, rôdaient autour de Julien comme des ombres sans nom et sans consistance, le rire de ma foi et de ma jeunesse en avait raison, elles passaient à travers moi sans me faire trop mal : baise-les, Julien, t'as raison, baise-les toutes.

Mais je n'ai pas l'armature d'un confesseur, je n'ai pas l'indifférence de la certitude. Je n'ai pas à comprendre ni à pardonner, je n'ai qu'à essayer de canaliser cette haine, cette férocité qui sont nées à mesure que Julien parlait, et qui bouillonnent et débordent à présent par mes yeux, me donnant envie de hurler, de tordre, de torturer.

— Mais pourquoi donnes-tu tant d'importance à cela, tout à coup? Tu avais l'air si fort, si coriace, tu t'échappais en rigolant, tu étais cynique, rien ne semblait te toucher... Anne, voyons! Mais puisque je te dis que tout ça c'est fini, qu'il n'y a que toi... Puisque demain, c'est nous!

— Mais hier, Julien, hier... Quand je pense qu'elle était là, à la porte de la taule, là où j'aurais voulu être! Que tes premières heures de liberté, tes premières caresses, ç'a été pour elle... non, non, c'est pas possible! Et moi

228

qui n'avais que toi en tête, moi qui avais tout gardé, tout plaqué pour la minute où je te retrouverais!

— Mais... Moi aussi, je croyais que tu serais là, avec Eddie. Et... il a amené l'autre môme, c'est plutôt un hasard, au fond. Il n'a pas fait ce que je lui avais dit, voilà tout... comprends, Anne, je t'en prie! Elle a acheté tout le monde à la maison, la mère, les gosses, elle arrive toujours avec des fleurs, des jouets, des fringues; elle a un brave petit boulot, honnête, elle a mon âge, elle est sérieuse, propre... Alors, eh! Ils essayent de me la faire épouser. L'autre matin, j'espérais que tu serais là, c'est vrai, mais puisqu'elle était sous ma pogne, à m'encombrer de ses caresses...

— Et moi, dans tout ça?

— Toi... toi, tu étais mon luxe, mon secret... Maman, qui tirait un peu les cartes dans sa jeunesse, me dit toujours que, si je reste avec toi, nous referons des coups et nous retournerons aux durs ensemble... Elle est un peu malheureuse de voir que je continue à mener la vie de truand, c'est ma mère, qu'est-ce que tu veux... Et l'autre môme... eh bien, ça m'arrangeait d'aller coucher chez elle quand je venais à Paris, tu sais bien que je ne peux pas aller à l'hôtel. Et chez Pierre et Annie, reconnais que ce n'était pas toujours marrant... Et puis... j'étais parfois tellement fatigué...

Dans les grosses ténèbres, se faufile une petite étoile : un jour, peut-être, je serai une gosse propre adoptable par le clan, je pourrai prêter mon lit à Julien, je retrouverai mon nom... Ouais, dans des années, lorsque j'aurai fini ma peine et ma jeunesse et que je n'aurai plus d'autres moyens de plaire à un homme!

Attendre de grandir! J'ai attendu de guérir et de marcher, c'était déjà très long, l'étoile est trop loin... Pour le moment, je suis là, le regard brouillé de larmes, mais je vais le régler, mon regard, et je saurai bien voir à travers la nuit. Peut-être l'autre fille sait-elle comme moi la patience, peut-être compte-t-elle sur le temps pour renforcer la prise de ses crampons; bien sûr, elle a sur moi la prime d'ancienneté et de bon droit, on ne lui refuserait pas, à elle, des papiers en vue mariage... Mais ce n'est pas cela que je veux détruire : je veux nettoyer le présent et l'avenir de toute miette d'elle, je veux que Julien reprenne ce qu'il lui a donné avec une désinvolture gentille, comme toujours lorsqu'il donne, je veux qu'il lui refuse son charme, qu'il ne la voie plus.

— On tue un corps plus facilement qu'un souvenir, dis-je.

— Mais pourquoi la tuer? Je ne l'aime pas, je ne peux pas l'aimer.

— J'éviterais au moins d'en faire naître d'autres!

— Quoi?...

— D'autres souvenirs... Remarque, si tu lui parles de moi, ou si elle sent que tu veux la plaquer, elle se découvrira bien sûr un polichinelle en route, ou tout autre moyen de chantage. N'y crois pas, Julien, méfie-toi des gonzesses, je les connais...

Je pense à Cine, à la cruauté haineuse qui avait remplacé les flammes et les larmes tendres, après notre « divorce »; je pense à Rolande, à Jean, et bien avant eux aux amoureux de mon adolescence; tous ceux qui m'ont mendiée et que j'ai bousculés avec indifférence pour m'enfuir plus loin, lorsque l'heure fut venue... et je me demande s'ils ont eu mal comme j'ai mal aujourd'hui, écoutant avec une stupeur infinie battre cette blessure étrange; étonnée, attentive, je découvre le mal d'amour. Le mal au cœur, le mal aux pattes, je puis les poser à côté de moi et m'en éloigner; mais là, il n'y a ni drogue ni pirouette possibles, le mal tord et fait gémir toute la carcasse, il est moi. Les détails envahissent l'image, jusqu'au cri, jusqu'au vide. Cette foi en moi impatiente et assurée, cette figure abstraite et bleue de l'amour, cet orgueil, tout cela meurt dans le sable de la plage; je réalise la douloureuse consistance d'aimer et je suis folle de peine...

Merci, Julien, d'avoir su me faire si mal. Tu mets un terme aux chimères, après un corps tu me fais un cœur de femme, ces femmes dont je méprisais le pouvoir mendiant, les attachements et les servilités forcenées. Maintenant, c'est moi qui renifle tes liquettes...

— Allons-nous-en, dis-je. On nous attend pour bouffer.

Comme en rêve, une autre journée passe, tantôt sous

231

la toiture torride de la guinde, tantôt dans l'ombre fraîche de maisons, de tonnelles; j'ai trop sommeil pour mesurer les heures, et pourtant il me semble que je pourrais franchir ainsi encore des jours et des nuits; je suis réflexe, mécanisme, le temps a cessé.

Je donne à Julien les lettres que j'ai écrites pour lui pendant ces trois mois. Pendant qu'il lit, j'attends, comme on attend un verdict, en m'amusant à filtrer du sable entre mes doigts.

Nous avons pris congé des amis, enfin, après avoir bu de nombreuses fois le dernier des derniers verres; et maintenant nous sommes allongés dans les dunes, seuls, sans pensée précise, au bord des gestes, avec ce fil de joie tenace qui ne s'est pas cassé, pas relâché depuis le soir de la Saint-Jean, et s'est au contraire consolidé aux larmes de la plage, ce matin, comme une cordelette nouée se raidit à la pluie.

— Tes lettres me sautent à la figure, dit Julien en me les rendant. Garde-les-moi. J'avais encore beaucoup à connaître de toi... Anne, pardonne-moi...

— Pardonner quoi?

— Pour cette môme : je ne vois pas d'autre moyen pour t'empêcher de pleurer encore que de m'en occuper tout de suite. Allez, en route : on retourne à Paris, je serai chez elle avant minuit. Tu m'attendras dans la guinde, et ensuite dodo, un jour, deux jours, huit jours, tant qu'on voudra. Ça faisait un sacré moment que j'avais

232

envie de la scier, mais il a fallu ce matin et tes lettres pour me décider... toujours ce désir bête de casser sans effraction, que veux-tu. Mais lorsqu'il faut passer à tout prix, et crac et boum, tant pis : elle va raquer la peine que je t'ai faite.

— Mais il y a trois cents kilomètres, d'ici Paris... Déjà, moi qui ne conduis pas, je suis complètement ratatinée; alors toi, qui n'as pas lâché le volant depuis hier!

— Tu verras, Anne, quand nous serons ensemble, la nuit... Des nuits sans fin à rouler, parce qu'il faut absolument arriver quelque part, ou absolument s'en éloigner... D'ailleurs, je vais t'apprendre à conduire aussi, pour que tu puisses me relayer ou ramener la tire.

— Conduire! Et pour débrayer, avec ma patte bloquée?

— Mais si, tu y arriveras. Eh bien, à ces moments-là, tu verras comme la fatigue et l'envie de dormir comptent peu.

Je ne me recouche pas sur la banquette : je reste à l'avant, m'appliquant à surveiller la route, à la reconnaître telle qu'elle doit être en réalité; mais les arbres se diluent en filets de nuit grisâtre, cependant que les intervalles où est la vraie nuit se rapprochent des accotements et figurent de larges troncs sombres; des silhouettes indistinctes traversent la route, déboulent et gambadent, foncent sur le capot et s'y engloutissent. La voûte des branches émet des toiles d'araignées géantes et sales, que les phares cisaillent et qui se reforment aussitôt : à présent, les araignées pleuvent sur la voiture...

233

Julien doit les voir aussi. Il se bagarre avec la nuit, des sursauts l'arrachent brusquement à la banquette, il retombe et s'arc-boute au volant; il chantonne, rit et crie, puis ralentit légèrement et s'ébroue :

— Tu veux m'en allumer une?

J'allume deux cigarettes, j'en glisse une, en visant, entre ses doigts. La mienne me brûle, m'échappe, je ne cesse de sombrer et de me réveiller.

Enfin, voilà les portes de Paris.

Je descends, je me défripe; sous mes talons, le trottoir chavire et trépide comme un plancher de voiture. Je dis :

— Prenons une chambre, va : à cette heure, on ne chatouille plus tellement les papiers.

— Penses-tu! proteste Julien. Ce n'est pas pour prendre une chambre qu'on a fait tout ce chemin.

— Tu vas t'écrouler dans son paddock...

— Te fais pas de bile! Mais toi, tu vas aller dormir : je liquide ça et je te rejoins... Non, à la réflexion, je préfère t'attendre dans la voiture, devant l'hôtel. Pour la fiche, je n'ai que mes papiers de tricard, et...

— Oh, viens. Tu écriras n'importe quoi. Juste quelques heures.

— ... Je serai en bas, à huit heures pile. Repose-toi bien, et n'oublie pas de demander qu'on te réveille.

Sans plus rien dire, je laisse Julien chercher ma trousse de toilette dans la malle arrière.

A pas de plomb et de glace, nous nous dirigeons vers

le premier néon signalant un hôtel. Mes pieds glissent sur les pavés, se soudent aux grilles du métro, mes paupières tombent; autour de nous, les sortilèges du sommeil dressent un décor fantastique, basculant, éblouissant.

... Le lit, la table, la murette du cabinet de toilette : je progresse d'une escale à l'autre, courbée, traînante, la chambre est vaste comme un désert. Une fois couchée, dans ma nappe de lassitude, je change de hanche, je tâtonne la présence du mur le long du lit; sans tout à fait dormir, je fais des cauchemars : des gens courent à ma recherche, en criant des choses flatteuses ou meurtrières pour moi; je suis devant eux, mais ils ne me voient pas. Je m'interpose, je crie mon nom, mais je n'ai pas de nom et tous m'écartent sans m'avoir reconnue, même ceux qui prétendaient m'aimer. Alors, je cours, je cours sans fin parmi les étendues d'arbres, de pierres et d'eau : nue et noire, je m'enfuis en serrant ma jeunesse, sur des pentes chinées d'air et de lumière.

Où est le rêve? Où me tirent les demains? La plongée de ce matin, sur la plage... Des bulles amères remontent... Reviens, Julien. Je t'attends, dans la sérénité de ce lit bien lisse.

— Entrez!...

Je me rappelle que je suis nue, je remonte le drap autour de mes épaules. La porte s'ouvre, le plateau du petit déjeuner apparaît, porté par Rolande :

— Il est sept heures, madame.

Elle pose le plateau sur le coin de la table et disparaît. Elle non plus ne m'a pas vue. Qu'est-ce que tu fous ici, maigre Rolande? Tu ne veux pas déjeuner avec moi? Nous en avions pourtant assez rêvé, en avalant ensemble le mauvais malt de la prison avant de partir chacune vers notre atelier :

— Bientôt, chuchotions-nous, ce sera : deux filtres...

Cette fille qui ressemble à Rolande est assortie aux larmes d'hier, d'avant-hier : aucune vieille tendresse, aucune chiquenaude de dépit ne me bousculeront plus, maintenant. Rolande était la veilleuse, le jour est là, je l'éteins. Le soleil, de l'autre côté de la fenêtre, éteint aussi les néons et les phantasmes, la vitre est déjà tiède; en bas, la rue commence à fourmiller.

Et Julien qui m'attend dans une heure! Vite, la douche, les fringues, reboucler la trousse, ne rien oublier.

Huit heures moins vingt. J'avale le reste du café, en buvant à même le pot; avant de quitter la piaule, j'en redresse le désordre pour qu'il plaise aux chambrières, comme naguère. Mais, ici, je suis bien sûre de ne plus jamais revenir : ce soir, une autre escale m'attend, Julien m'emmène vers ses mystères, enfin.

Je vais connaître ses pays, ses haltes, ses amis, je connaîtrai même l'Autre, pourquoi pas? Je m'en ferai une petite sœur, ou bien je la présenterai à Jean. Et moi, je serai du voyage, toujours, comme l'ombre et la parure; la

236

trace de Julien sur moi effacera toutes les saloperies passées, tout comme ce vol d'une seconde, en me cassant la patte, a cassé également les derniers fils de pacotille : mes chéries, adieu!...

J'entrouvre la fenêtre, je me penche.

Huit heures moins une : le toit de la voiture glisse dans la rue, s'immobilise, à dix mètres sous moi... Julien! Une minute pour dégringoler vers toi...

J'empoigne ma trousse, j'ouvre la porte, je change la clé de côté; sur le palier, se tient un homme, pas très grand, l'air bonhomme et satisfait :

— Bonjour, Anne, me dit-il. Ça fait longtemps que je te cherche, tu sais? Allons, en route, je te suis. Et n'essaie pas de courir, hein?

Je souris : Julien va nous voir passer, il comprendra que je suis un peu retardée et que ce n'est pas ma faute.

Te fais pas de bile, va : sur la plate-forme lumineuse, nous nous retrouverons. L'un de nous est encore à l'arête inférieure : il faudra tour à tour grimper et haler, le repos recule... N'importe, je marche : précédant le flic, je descends l'escalier, en claudiquant à peine.

Avril-août 1964

CET OUVRAGE, composé d'après les maquettes de Jacques Daniel en caractères Janson corps 12, a été achevé d'imprimer et relié le quinze juillet mil neuf cent soixante-huit par l'Imprimerie Berger-Levrault à Nancy.

CETTE ÉDITION, HORS COMMERCE, est réservée aux membres du Club français du livre. Elle comprend vingt-six exemplaires marqués A à Z, cent exemplaires numérotés I à C destinés aux animateurs du Club et six mille exemplaires numérotés de 1 à 6 000.

N⁰ **977**

Le Club français du Livre, 8, rue de la Paix, Paris (2e)

R. C. Seine 67 B 1980

maladresses de style là où elle

Doc, elle a les mêmes goûts que le m

perche, vz. Si dans... mettons 10 ans, je

touche plus, de ma vie, un Bic... j'é

Bazin a commencé au même âge ; ou

ou bien une aurore. A mon avis, c'est le

de un peu. Il me plairait que nous

au fond, de me casser la figure dans

tu es avec moi... ce sont des visées qu'

même arme, mais... je t'aime, je suis toi,

travers de la solitude. Comme tu le

puisse, quitte à m'y ensevelir, le plus pos

sur les gros galets ; je ne peux plus. Do

les paupières, cette fameuse bougie dans le

je riais, alors, comme je me dissociais d

avec bonheur la fine odeur de brei

fentif... que bête, ta petite grenouille. Il

échos. Dans ma balade, sage, je charge